Charlotte Habersack
Angela Pude
Franz Specht

A 2.2

MENSCHEN

Deutsch als Fremdsprache
Kursbuch

Hueber Verlag

Für die hilfreichen Hinweise bei der Entwicklung des Lehrwerks danken wir:
Ebal Bolacio, Goethe-Institut/UERJ, Brasilien
Esther Haertl, Nürnberg, Deutschland
Miguel A. Sánchez, EOI Léon, Spanien
Claudia Tausche, Ludwigsburg, Deutschland
Katrin Ziegler, Università degli studi di Macerata, Italien

Fachliche Beratung:
Prof. Dr. Christian Fandrych, Herder-Institut, Universität Leipzig

Die Inhalte der Lerner-DVD-ROM finden Sie auch unter
www.hueber.de/menschen/lernen, Code: d8c4d53cdz

5.	4.	3.			Die letzten Ziffern
2019	18	17	16	15	bezeichnen Zahl und Jahr des Druckes.

Alle Drucke dieser Auflage können, da unverändert,
nebeneinander benutzt werden.
1. Auflage
© 2013 Hueber Verlag GmbH & Co. KG, 85737 Ismaning, Deutschland
Umschlaggestaltung: Sieveking · Agentur für Kommunikation, München
Fotoproduktion: Iciar Caso, Hueber Verlag, Ismaning
Fotograf: Hueber Verlag/Florian Bachmeier
Zeichnungen: Hueber Verlag/Michael Mantel
Layout und Satz: Sieveking · Agentur für Kommunikation, München
Verlagsredaktion: Marion Kerner, Gisela Wahl, Nikolin Weindel, Hueber Verlag, Ismaning
Druck und Bindung: PHOENIX PRINT GmbH, Deutschland
Printed in Germany
ISBN 978–3–19–501902–6

Art. 530_12357_001_03

INHALT

Piktogramme und Symbole

Hörtext auf CD ▶ 2 02   Aufgabe im Arbeitsbuch   AB   Aufgabe auf der
Lerner-DVD-ROM

Beruf

| Grammatik | Kommunikation | Hinweis |

GRAMMATIK

ich	lasse
du	lässt
er/sie	lässt

KOMMUNIKATION

Liest du gern Romane/...?
Interessierst du dich für ...?
Interessiert dich das denn nicht?
Hast du überhaupt gar kein
 Interesse daran?

INFO

für Sachen:	etwas	↔	nichts
für Personen:	einer	↔	keiner
	jemand	↔	niemand

			INHALTE
MODUL 5	13	SPRACHEN LERNEN **Meine erste „Deutschlehrerin"** 9	**Hören/Sprechen:** von Sprachlernerfahrungen berichten
	14	POST UND TELEKOMMUNIKATION **Es werden fleißig Päckchen gepackt.** 13	**Sprechen:** Freude ausdrücken **Lesen:** Zeitungsmeldung; Gebrauchsanweisung **Schreiben:** persönlicher Brief
	15	MEDIEN **Gleich geht's los!** 17	**Hören/Sprechen:** über Fernsehgewohnheiten sprechen **Lesen:** Sachtext
MODUL 6	16	IM HOTEL **Darf ich fragen, ob ...?** 25	**Hören/Sprechen:** ein Zimmer buchen; einen Weg beschreiben
	17	REISEN UND VERKEHR **Wir wollen nach Rumänien.** 29	**Sprechen:** über Reisegewohnheiten sprechen **Lesen:** Reisetagebuch im Internet **Schreiben:** etwas kommentieren
	18	WETTER UND KLIMA **Ich freue mich auf Sonne und Wärme.** 33	**Sprechen:** über das Wetter sprechen **Lesen:** Sachtext
MODUL 7	19	KULTURELLE VERANSTALTUNGEN **Wohin gehen wir heute?** 41	**Hören/Sprechen:** jemanden überzeugen/begeistern; auf Vorschläge zögernd reagieren **Lesen:** Veranstaltungskalender
	20	BÜCHER UND PRESSE **Ich durfte eigentlich keine Comics lesen.** 45	**Sprechen:** Interesse/Desinteresse ausdrücken **Lesen:** Magazintext
	21	STAAT UND VERWALTUNG **Ja genau, den meine ich.** 49	**Sprechen:** um einen Bericht / eine Beschreibung bitten; etwas berichten/beschreiben **Lesen:** Flyer
MODUL 8	22	MOBILITÄT UND VERKEHR **Seit ich meinen Wagen verkauft habe, ...** 57	**Sprechen:** etwas erklären **Lesen:** Anleitungen
	23	AUSBILDUNG UND BERUF **Der Beruf, der zu mir passt.** 61	**Sprechen:** Zufriedenheit/Unzufriedenheit ausdrücken **Lesen:** Klappentext
	24	ARBEITEN IM AUSLAND **Wie sah dein Alltag aus?** 65	**Sprechen:** Begeisterung/Enttäuschung ausdrücken **Lesen:** Mitarbeiterporträt

INHALT

Liebe Leserinnen, liebe Leser,

Menschen ist ein Lehrwerk für Anfänger. Es führt Lernende ohne Vorkenntnisse in jeweils zwei Bänden zu den Sprachniveaus A1, A2 und B1 des Gemeinsamen Europäischen Referenzrahmens und bereitet auf die gängigen Prüfungen der jeweiligen Sprachniveaus vor.

Menschen geht bei seiner Themenauswahl von den Vorgaben des Gemeinsamen Europäischen Referenzrahmens aus und greift zusätzlich Inhalte aus dem aktuellen Leben in Deutschland, Österreich und der Schweiz auf. Das Kursbuch beinhaltet 12 kurze Lektionen, die in vier Modulen mit je drei Lektionen zusammengefasst sind.

Das Kursbuch

Die 12 Lektionen des Kursbuchs umfassen je vier Seiten und folgen einem transparenten, wiederkehrenden Aufbau:

Einstiegsseite

Der Einstieg in jede Lektion erfolgt durch ein interessantes Foto, das mit einem „Hörbild" kombiniert wird und den Einstiegsimpuls darstellt. Dazu gibt es erste Aufgaben, die in die Thematik der Lektion einführen. Die Einstiegssituation wird auf der Doppelseite wieder aufgegriffen und vertieft. Außerdem finden Sie hier einen Kasten mit den Lernzielen der Lektion.

Doppelseite

Ausgehend von den Einstiegen werden auf einer Doppelseite neue Strukturen und Redemittel eingeführt und geübt. Das neue Wortfeld der Lektion wird in der Kopfzeile prominent und gut memorierbar als „Bildlexikon" präsentiert. Übersichtliche Grammatik-, Info- und Redemittelkästen machen den neuen Stoff bewusst. In den folgenden Aufgaben werden die Strukturen zunächst meist in gelenkter, dann in freierer Form geübt. In die Doppelseite sind zudem Übungen eingebettet, die sich im Anhang auf den „Aktionsseiten" befinden. Diese Aufgaben ermöglichen echte Kommunikation im Kursraum und bieten authentische Sprech- und Schreibanlässe.

Abschlussseite

Auf der vierten Seite jeder Lektion ist eine Aufgabe zum Sprechtraining, Schreibtraining oder zu einem Mini-Projekt zu finden, die den Stoff der Lektion nochmals aufgreift. Als Schlusspunkt jeder Lektion werden hier die neuen Strukturen und Redemittel systematisch zusammengefasst und transparent dargestellt.

Modul-Plus-Seiten

Vier zusätzliche Seiten runden jedes Modul ab und bieten weitere interessante Informationen und Impulse, die den Stoff des Moduls nochmals über andere Kanäle verarbeiten lassen.

Lesemagazin:	Magazinseite mit vielfältigen Lesetexten und Aufgaben
Film-Stationen:	Fotos und Aufgaben zu den Filmsequenzen der *Menschen*-DVD
Projekt Landeskunde:	ein interessantes Projekt, das ein landeskundliches Thema aufgreift und einen zusätzlichen Lesetext bietet
Ausklang:	ein Lied mit Anregungen für einen kreativen Einsatz im Unterricht

Die DVD-ROM

Mit der eingelegten DVD-ROM kann der Stoff aus *Menschen* zu Hause selbstständig vertieft werden. Sie ist ein fakultatives Zusatzprogramm für die Lernenden, ist passgenau mit dem Kursbuch verzahnt und bietet viele interessante und interaktive Lernangebote.

Folgende Verweise führen zur DVD-ROM:

interessant?	… führt zu einem Lese- oder Hörtext (mit Didaktisierung) oder Zusatzinformationen, die das Thema aufgreifen und aus einem anderen Blickwinkel betrachten
noch einmal?	… hier kann man den KB-Hörtext noch einmal hören und andere Aufgaben dazu lösen
Spiel & Spaß	… führt zu einer kreativen, spielerischen Aufgabe zum Thema
Comic	… führt zu einem Comic, der an das Kursbuch-Thema anknüpft
Beruf	… erweitert oder ergänzt das Thema um einen beruflichen Aspekt
Diktat	… führt zu einem kleinen interaktiven Diktat
Audiotraining	… Automatisierungsübungen für zu Hause und unterwegs zu den Redemitteln und Strukturen
Karaoke	… interaktive Übungen zum Nachsprechen und Mitlesen

Die DVD-ROM-Inhalte sind auch über den Lehrwerkservice unter www.hueber.de/menschen zugänglich. Der Zugangscode lautet: d8c4d53cdz

Im Lehrwerkservice finden Sie außerdem zahlreiche weitere Materialien zu *Menschen* sowie die Audio-Dateien zum Kursbuch als MP3-Downloads.

Viel Spaß beim Lernen und Lehren mit *Menschen* wünschen Ihnen

Autoren und Verlag

1 Ihr Lieblingsort / Ihre Lieblingsregion

Verwandeln Sie Ihren Kursraum in eine Landkarte von Deutschland, Österreich und der Schweiz. Bilden Sie zwei Gruppen. Die Teilnehmer aus Gruppe A stellen sich an ihren Lieblingsort / in ihre Lieblingsregion auf der „Kursraum-Landkarte". Die Teilnehmer aus Gruppe B suchen sich je eine Partnerin / einen Partner aus Gruppe A: Welchen Ort finden sie interessant? Die Teilnehmer aus Gruppe A erzählen: Warum stehen sie dort?

Hallo! Ich heiße Luca und ich stehe in Berlin. Ich war noch nie dort. Ich möchte aber unbedingt einmal das Brandenburger Tor sehen. Und du?

Hallo! Ich heiße Chiara. Berlin ist auch meine Lieblingsstadt. Ich war schon oft in Berlin. Mein Bruder studiert dort. Am besten gefällt mir ...

2 Was haben Sie noch gemeinsam?

Stellen Sie Fragen und finden Sie drei weitere Gemeinsamkeiten.

Sprachen | Hobbys | Sport | Ausbildung | Beruf | Familie | Alter | Geschwister | Lieblingsstadt | Lieblingsfarbe | Lieblingsgetränk | Lieblingsessen | Pläne | Träume | ...

Ich habe zwei Geschwister: einen Bruder und eine Schwester. Hast du auch noch eine Schwester?

Ja. Sie ist 15 Jahre alt. Wie alt ist deine Schwester?

3 Erzählen Sie von Ihren Gemeinsamkeiten im Kurs.

Ich heiße ... und das ist ...
Unser Lieblingsort in Deutschland ist Berlin. Ich war schon oft dort, weil mein Bruder in Berlin studiert. Wir haben beide zwei Geschwister ...

Hören/Sprechen: von Sprachlernerfahrungen berichten: *Für mich ist das Audiotraining sehr wichtig.*

Wortfeld: Lerntipps

Grammatik: Konjunktion *als*

▶ 2 01 **1** **Sehen Sie das Foto an, hören Sie und kreuzen Sie an.**

	richtig	falsch	unbekannt
a Paul spricht gut Deutsch, weil seine Mutter Deutsche ist.	○	○	○
b Paul hat schon als Kind Deutsch gelernt.	○	○	○
c Von Marie hat Paul die ersten deutschen Wörter gelernt.	○	○	○
d Pauls erstes deutsches Wort war „Bratwurst".	○	○	○

2 **Was war Ihr erster deutscher Satz / Ihr erstes deutsches Wort?**
Erzählen Sie.

Vokabelkärtchen schreiben

Nachrichten hören

Filme anschauen

Wörter übersetzen

Lieder mitsingen

Sätze aufschreiben

Fehler korrigiere

▶ 2 02 **3 Du hast dich verliebt ...?**

AB

a Hören Sie das Gespräch weiter und beantworten Sie die Fragen.

1 Was war Pauls erster deutscher Satz?   *Das war: ...*
2 Wo hat er Marie kennengelernt?
3 Wo lebt Paul jetzt und was macht er dort?

b Was ist richtig? Hören Sie noch einmal und kreuzen Sie an.
Beide Lösungen können richtig sein.

1 Paul hat Marie für ○ eine Woche ○ eineinhalb Monate   in Berlin besucht.
2 Paul hat sich in ○ Marie ○ Deutschland   verliebt.
3 Als Paul wieder zu Hause war, hat er Deutschkurse
  ○ an der Universität ○ am Goethe-Institut   besucht.
4 Das Stipendium für die Frankfurter Uni hat Paul im
  ○ vierten ○ achten   Semester bekommen.
5 Paul meint: Wenn man eine Fremdsprache lernen will, muss man
  ○ Kurse besuchen. ○ mit Muttersprachlern sprechen.

c Ordnen Sie zu und kreuzen Sie dann an.

als ich im vierten Semester war | als sie wieder zu Hause war | als sie mit der Schule fertig war

Marie ist lange verreist,   *als* _____ *war.*
Sie hat mich nach Berlin eingeladen,   _____
Ich habe das Stipendium bekommen,   _____

1 Wie oft ist das passiert?   2 Wann ist es passiert?
  ○ einmal ○ häufig   ○ früher (Vergangenheit) ○ heute (Gegenwart)

AB **4 Ihre Sprachlerngeschichte: Arbeiten Sie zu zweit auf Seite 73.**

Beruf

AB **5 Wie lerne ich am besten Fremdsprachen?**

Spiel & Spaß

a Lesen Sie den Ratgeber auf Seite 11. Welcher Tipp aus
dem Bildlexikon passt am besten zu den Lernertypen?
Notieren Sie.

Typ ① : Filme anschauen
Typ ② :

b Und was hilft Ihnen? Notieren Sie.

Das finde ich wichtig / Das hilft mir:
Das finde ich nicht so wichtig / Das hilft mir nicht:
Diese Lernertypen passen zu mir:

| Wörter wiederholen | Zeitschriften lesen | viel sprechen | Bilder zeichnen | Sätze nachsprechen | Grammatikaufgaben lösen |

WIE LERNE ICH AM BESTEN FREMDSPRACHEN?

Man muss natürlich so viel wie möglich üben. Aber jeder lernt anders und deshalb gibt es viele Wege.

(1) Der visuelle Typ muss alles sehen. Ihm helfen Bilder und Farben.

(2) Für den auditiven Typ ist der Klang einer Sprache wichtig. Er muss die Sprache oft hören und lernt gern mit Liedern und Musik.

(3) Der kommunikative Typ findet Sprechen am allerwichtigsten. Ohne Sprachpraxis kann er keine Sprache lernen.

(4) Der kognitive Typ findet Grammatik sehr wichtig. Er möchte zuerst die Regeln verstehen.

(5) Der haptische Typ arbeitet sehr gern mit seinen Händen. Er möchte sich bewegen, Dinge in die Hand nehmen oder etwas aufschreiben.

Zu den meisten Menschen passt nicht nur ein Lernertyp. Welche passen zu Ihnen?

Diktat

c Vergleichen Sie im Kurs.

KOMMUNIKATION

Ich finde es wichtig, dass man …
Ich muss immer/oft …
Für mich gibt es nur einen Weg: …
Am (aller)wichtigsten ist für mich …
Tests/… finde ich gar nicht wichtig / helfen mir nicht.

Ich bin ein auditiver und ein haptischer Typ. Für mich ist das Audiotraining sehr wichtig. Ich muss Sätze so oft wie möglich hören, dann kann ich sie mir gut merken. …

[6] **Mein schönstes deutsches Wort**

a Lesen Sie und ordnen Sie die Bilder zu.

(A) ○ „lieben" – Dieses Wort ist für mich das schönste deutsche Wort, weil es nur ein „i" vom Leben entfernt ist.
Gloria Bosch, Spanien

(B) ○ Mein schönstes deutsches Wort lautet: „Sternschnuppe", weil man nach einer Sternschnuppe immer einen Wunsch frei hat!
Hildegard Breitenstein, Deutschland

(C) ○ Ich finde, „Sommerregen" ist das schönste deutsche Wort, weil ich es gerne lese und schreibe und weil ich den Geruch von Sommerregen gerne mag, denn er erinnert mich an den Sommer.
Isabell Schultze, 14 Jahre, Deutschland

b Machen Sie Notizen zu den Fragen und schreiben Sie einen Text wie in a. Hängen Sie dann Ihre Texte im Kursraum auf.

1 Welches deutsche Wort finden Sie besonders schön?
2 Warum finden Sie das Wort schön?

7 Wie klingt Deutsch?

▶ 2 03 **a** Wie klingen die Sprachen? Was meinen Sie? Hören Sie und machen Sie Notizen. Vergleichen Sie dann.

laut | leise | weich | hart | schnell | langsam | freundlich | melodisch | schön | fremd | …

1 Deutsch _____
2 Französisch _____
3 Russisch _____
4 Vietnamesisch _____
5 Türkisch _____

■ Deutsch klingt härter als Französisch.
▲ Ja, das finde ich auch. Und Vietnamesisch klingt sehr melodisch.

b Welche Sprachen würden Sie gern noch lernen? Warum? Erzählen Sie.

> Ich würde gern noch Italienisch lernen, weil meine beste Freundin aus Italien kommt.

interessant?

Audiotraining

Karaoke

GRAMMATIK

Konjunktion *als*	
Nebensatz vor dem Hauptsatz	
Nebensatz	**Hauptsatz**
Als ich im vierten Semester war,	habe ich das Stipendium bekommen.
Hauptsatz vor dem Nebensatz	
Hauptsatz	**Nebensatz**
Ich habe das Stipendium bekommen,	als ich im vierten Semester war.

KOMMUNIKATION

von Sprachlernerfahrungen berichten
Ich finde es wichtig, dass man …   Ich muss immer/oft …   Für mich gibt es nur einen Weg: …   Am (aller)wichtigsten ist für mich …   Tests/… finde ich gar nicht wichtig / helfen mir nicht.

Sprechen: Freude ausdrücken: *Schön, dass du an mich gedacht hast.*

Lesen: Zeitungsmeldung, Gebrauchsanweisung

Schreiben: persönlicher Brief

Wortfeld: Post

Grammatik: Passiv Präsens: *Das Päckchen wird gepackt.*

1 **Sehen Sie das Foto an. Wer sind die beiden und was machen sie? Was meinen Sie?**

Ich glaube, sie packen Geschenke für ihr Enkelkind ein.

▶ 2 04 **2** **Hören Sie und kreuzen Sie an.**

a Was packen die beiden in den Karton?
  ○ Mütze ○ Schal ○ Handschuhe ○ Strumpfhose
  ○ Stofftasche ○ Stofftier ○ Musikinstrument
  ○ Auto ○ Puppe ○ Schokolade ○ Nüsse ○ Karte
  ○ Bonbons ○ Foto ○ Brief
b Die Geschenke sind für ○ ein Mädchen. ○ einen Jungen.
c Das Kind wohnt in ○ Osteuropa. ○ einem deutschsprachigen Land.
d Das Geschenk ist ○ für Weihnachten. ○ für Ostern.

● Post	● Päckchen	● Paket	● Absender	● Adresse	● Empfänger	unterschreiben / ● Untersch

AB **3** ## Weihnachten im Schuhkarton

interessant?

a **Was ist richtig? Überfliegen Sie den Zeitungsartikel und kreuzen Sie an.**

1 Die Organisatoren von „Weihnachten im Schuhkarton" verschicken
◯ Schuhe ◯ Geschenke an arme Kinder in Osteuropa und Asien.
2 Das Projekt hat ◯ großen ◯ keinen Erfolg.

Weihnachten im Schuhkarton – eine schöne Idee!

Weihnachten! – Mit all seinen Lichtern und Geschenken sicher eines der schönsten Feste im Jahr. Ganz besonders für Kinder! Können Sie sich noch erinnern, wie Sie als Kind die Tage bis Heiligabend gezählt haben? Wie groß war dann
5 die Freude! Diese Freude kennt leider nicht jedes Kind, weil vielen Familien das Geld für Geschenke fehlt.
Deshalb werden bis Mitte November wieder fleißig Päckchen gepackt. Wie jedes Jahr bitten „Geschenke der Hoffnung", die Organisatoren von dem Projekt „Weihnachten
10 im Schuhkarton", Menschen in Deutschland und Österreich um ihre Hilfe – um Geschenke in einem Schuhkarton. Im Dezember werden die Päckchen an arme Mädchen und Jungen in Osteuropa und Asien verschickt. Seit 1990 schon gibt es das Projekt „Weihnachten im Schuhkarton". Da hat
15 man zum ersten Mal 3000 Geschenk-Päckchen an rumänische Kinder verteilt. Heute sind es viel mehr. Im letzten Jahr hat man fast eine halbe Million Kinder glücklich gemacht. Für manche war es das erste Geschenk ihres Lebens.

Glückliche Kinder mit ihren „Schuhkartons". Manche der Kinder haben noch nie in ihrem Leben ein Geschenk bekommen.

b **Lesen Sie den Zeitungsartikel noch einmal und finden Sie passende Fragen zu den Antworten.**

1 _____ Weihnachten.
2 _____ Menschen in Deutschland und in Österreich.
3 _____ Kinder in Osteuropa und Asien.
4 _Wann schickt die Organisation Päckchen an die Kinder?_ Im Dezember.
5 _____ Seit 1990.
6 _____ 3000 Päckchen.
7 _____ Eine halbe Million Kinder.

AB **4** ## Mitmachen ist ganz einfach!

▶ 2 05 **a** **Lesen Sie die Gebrauchsanweisung auf Seite 15 und hören Sie die Geräusche. Was passt? Ordnen Sie zu. Hilfe finden Sie im Bildlexikon.**

Geräusch	A	B	C	D
Schritt				

MITMACHEN IST GANZ EINFACH! SO GEHT'S:

Schritt 1: **Zuerst wird der Karton beklebt ...**
Ober- und Unterteil eines Schuhkartons mit Geschenkpapier bekleben.
Der Schuhkarton sollte ca. 30 x 20 x 10 Zentimeter groß sein.

Schritt 2: **Dann wird das Etikett mit dem Empfänger aufgeklebt ...**
Junge oder Mädchen? Für wen soll das Geschenk sein?
Bitte Geschlecht und Alter ankreuzen: 2–4, 5–9 oder
10–14 Jahre.

Schritt 3: **Schließlich wird das Päckchen gepackt ...**
Am besten verschiedene Geschenke (Stofftiere, Schulsachen und
Süßigkeiten) in den Karton legen. Legen Sie auch eine Karte oder
einen Brief mit Weihnachtsgrüßen und Ihrer Adresse in das Päckchen.

Schritt 4: **Und ab geht die Post!**
Zuletzt wird der Schuhkarton mit Gummibändern verschlossen
und abgeschickt.

b **Lesen Sie die Gebrauchsanweisung in a noch einmal. Was wird gemacht? Erzählen Sie.**

abschicken | aufkleben | bekleben | legen |
packen | verschließen | ankreuzen

- In Schritt 1 wird der Karton mit
  Geschenkpapier beklebt.
- Und in Schritt 2 wird ...

GRAMMATIK

	Passiv	
Das Päckchen	wird	gepackt.
Die Geschenke	werden in den Karton	gelegt.

AB [5] **Auf der Post: Was wird hier gemacht?**
Arbeiten Sie auf Seite 74. Ihre Partnerin / Ihr Partner arbeitet auf Seite 76.

[6] **Kleine Geschenke**

a Wählen Sie eine Person aus dem Kurs und
schreiben Sie eine Karte. Notieren Sie drei
Geschenke.

Für Elisa, von Tessa
- Gutschein für zwei Konzertkarten
- Gesichtscreme
- 3 Tafeln Chili-Schokolade

b Die Karten werden neu verteilt. Was steht auf Ihrer Karte?
Erzählen Sie. Die anderen raten: Für wen sind die Geschenke?

- Die Geschenke sind: ein Gutschein für zwei Konzertkarten, eine Gesichtscreme
  und drei Tafeln Chili-Schokolade.
- Das Päckchen ist sicher für Charlotte, weil sie gern Musik hört.
- Das glaube ich nicht, denn Charlotte ...

Spiel & Spaß
Spiel & Spaß

AB **7** **Deine Geschenke haben mich sehr gefreut.**

a Welche Sätze drücken Freude aus? Markieren Sie.

Liebe Tessa,
Deine Geschenke haben mich sehr gefreut. Schön, dass Du an mich gedacht hast.
Ich liebe Chili-Schokolade und habe die drei Täfeln sofort gegessen. Und die Creme ist super.
Gestern habe ich sie gleich benutzt. Der Gutschein für die Konzertkarten war eine tolle Idee.
Ich freue mich schon sehr auf das Konzert. Vielleicht möchtest Du ja mitkommen?
Herzliche Grüße
Elisa

Diktat

b Bedanken Sie sich nun für Ihre Geschenke aus 6.
Machen Sie Notizen und schreiben Sie einen Brief.

Was hat Sie gefreut? ______
Was gefällt Ihnen (besonders) gut? ______
Was können Sie gut (besonders) gut gebrauchen? ______

KOMMUNIKATION
Vielen Dank für Deine tollen Geschenke!
Schön, dass Du an mich gedacht hast. / ...
... hat/haben mich sehr gefreut.
Ich liebe ... / ... mag ... besonders gern.
... ist/sind super. / eine tolle Idee.
Ich bin sehr froh, dass ...
Ich freue mich sehr auf ...

Audiotraining

Karaoke

GRAMMATIK

Passiv Präsens

		werden	Partizip
Singular	Das Päckchen	wird	gepackt.
Plural	Die Geschenke	werden in den Karton	gelegt.

KOMMUNIKATION

Freude ausdrücken

Vielen Dank für Deine tollen Geschenke!
Schön, dass Du an mich gedacht hast. / ...
... hat/haben mich sehr gefreut.
Ich liebe ... / ... mag ... besonders gern.
... ist/sind super. / eine tolle Idee.
Ich bin sehr froh, dass ...
Ich freue mich sehr auf ...

▶ 2 06

1 Ein Fernsehabend

a Sehen Sie das Foto an und hören Sie.
Würden Sie diesen Krimi gern sehen?

b Sehen oder lesen Sie auch gern Krimis? Erzählen Sie.

> Ja, besonders im Winter bei schlechtem Wetter.
> Aber noch lieber sehe ich …

Hören/Sprechen: über Fernsehgewohnheiten sprechen: *Ich sehe am liebsten …*

Lesen: Sachtext

Wortfeld: Medien

Grammatik: Verben mit Dativ und Akkusativ: *Er schenkt seinem Bruder eine DVD.*; Stellung der Objekte: *Er schenkt sie ihm.*

| • Krimi | • Zuschauer | • Mediathek | • Darsteller |

Spiel & Spaß

AB **2** **Was passt?**

Lesen Sie das Fernsehprogramm, sehen Sie ins Bildlexikon und ergänzen Sie.

TV-Programm Sonntag, 14.04.				
ARD	ZDF	NDR	SAT.1	kabeleins
20:15 Tatort: Der Wald steht schwarz und schweiget TV-Krimi, D 2012	20:15 Der Super-Champion 2012 Quiz, D 2012, mit Jörg Pilawa	20:15 Donna Leon – Schöner Schein Kriminalfilm, D 2012, mit Uwe Kockisch u.a.	20:15 Jenseits von Afrika, Liebesfilm, USA 1985. Regie: Sydney Pollack. Mit Meryl Streep u.a.	20:15 Bill Cosby Show Serie, USA 1992.

Programm Sender Privatsender Spielfilm _____

AB **3** **Der *Tatort***

a Welcher Textabschnitt passt? Überfliegen Sie den Text und ordnen Sie zu.

1 Wer produziert den *Tatort*? ○
2 Warum hat der *Tatort* so viel Erfolg? ○
3 Was ist der *Tatort*? ○

TATORT …

A … so heißt die älteste, noch immer bestehende Krimiserie und zugleich eine der größten TV-Erfolgsgeschichten im deutschsprachigen Fernsehen. Millionen Zuschauer in Deutschland, Österreich und in der Schweiz sehen am Sonntagabend die neueste Folge. Aber auch die alten Fälle kommen immer wieder ins Programm, sodass man inzwischen fast jeden Tag
5 *Tatort* sehen kann. Manche Gaststätten und Kneipen organisieren am Sonntagabend sogar ein *Tatort*-Public Viewing. Und wer den neuen *Tatort* am Sonntag nicht gesehen hat, findet ihn danach noch sieben Tage lang im Internet: in der ARD-Mediathek.

B Was macht diesen Fernsehkrimi eigentlich so besonders? Ganz einfach: Die Zuschauer suchen Abwechslung, und der *Tatort* gibt sie ihnen. Er spielt in verschiedenen Städten und Regionen, und jeder Ort hat seine eigenen
10 Hauptdarsteller. So begegnet man zum Beispiel in Niedersachsen der kühlen Kommissarin Charlotte Lindholm aus Hannover, in Österreich dem einsamen Inspektor Moritz Eisner aus Wien, in Kiel dem brummigen Kommissar Borowski. Wer möchte, kann seinen Freunden auch *Tatort*-Sendungen mit seinem Lieblingsdarsteller kaufen und sie ihnen einfach als DVD-Box schenken.

C Fakten: Den *Tatort* gibt es seit 1970. Er ist eine Produktion der ARD, besser bekannt als Erstes Deutsches Fern-
15 sehen oder einfach: Das Erste. Das ist die Gemeinschaft von neun regionalen öffentlich-rechtlichen Sendern in Deutschland. „Öffentlich-rechtlich" bedeutet, dass es keine Privatsender sind. Auch das Schweizer Fernsehen (SF) und der Österreichische Rundfunk (ORF) produzieren *Tatort*-Sendungen. Früher wurde nur eine Folge pro Monat gedreht, heute sind es durchschnittlich drei. Mit 90 Minuten hat der *Tatort* Spielfilmlänge. Die Produktionskosten liegen bei knapp über einer Million Euro pro Folge.

b Lesen Sie noch einmal und korrigieren Sie die Sätze. Schreiben Sie dann zwei eigene Aufgaben und tauschen Sie mit einem anderen Paar.

1 Der *Tatort* ist die ~~jüngste~~ und erfolgreichste Krimiserie der ARD.   *älteste*
2 Die neueste Folge wird am Samstag im Fernsehen gezeigt.
3 Den neuesten Fall kann man sieben Tage lang in Gaststätten gucken.
4 Die Fälle spielen nur in einer Gegend.
5 Die Kommissare werden in jeder Stadt von denselben Schauspielern gespielt.
6 „Öffentlich-rechtliche Sender" – das bedeutet, es sind private Sender.
7 Der *Tatort* ist so erfolgreich, dass inzwischen drei Krimis pro Woche gemacht werden.

		20.00	**Tagesschau**
		20.15	**Das Steinzeitrezept**
			Wie wir unsere Zivilisationskrank-
			heiten besiegen. Dokumentation
		21.00	**makro** Bauer sucht Einkommen –
			~~Nichts los ohne Subvention?~~

15

● DVD   ● Regisseur   ● Fernbedienung   ● Sendung   ● Rundfunk

---

AB **4** **Der Tatort gibt sie ihnen.**

a Lesen Sie die Tabelle und markieren Sie in den Sätzen den Dativ grün und den Akkusativ rot.

1 Sie können Ihren Freunden auch Tatortsendungen kaufen.
2 Er schenkt seinem Bruder eine DVD.
3 Der Tatort gibt den Zuschauern Abwechslung.

Verben mit Dativ und Akkusativ

	Wem (Person)?		Was (Sache)?	
Sie können	Ihren Freunden	auch	Tatortsendungen	kaufen.

auch so bei: schenken, geben, empfehlen, bringen, schicken

b Worauf beziehen sich die Pronomen? Markieren Sie und ergänzen Sie Pfeile.

Der Tatort gibt den Zuschauern Abwechslung.
Der Tatort gibt ihnen Abwechslung.
Der Tatort gibt sie ihnen.

1 Die Zuschauer suchen Abwechslung, und der Tatort gibt sie ihnen.

2 Sie können Ihren Freunden auch Tatortsendungen kaufen und sie ihnen als DVD schenken.

c Würfelspiel: Wir schenken unserem Freund eine DVD. Arbeiten Sie zu viert auf Seite 75.

AB **5** **Interviews: Was sehen Sie gern im Fernsehen?**

▶ 2 07 **a** Hören Sie die Statements. Welche Sätze hören Sie? Markieren Sie.

(1) Ich sehe am liebsten den *Tatort*. | (2) Ich sehe den *Tatort* immer zusammen mit Freunden. | (3) Manchmal gucke ich ihn allein zu Hause, aber meistens zusammen mit einer Freundin. | (4) Dazu gibt's immer Erdnüsse und ein, zwei Gläschen Sekt oder Wein. | (5) Ich sehe oft den *Tatort*, aber ich habe keine feste Gewohnheit. | (6) Ja, den *Tatort*. | (7) Wenn ich am Sonntagabend keine Zeit habe, gucke ich ihn später in der Mediathek. | (8) Wir treffen uns am Sonntag immer in der Kneipe und sehen den neuen Fall gemeinsam. | (9) Meine Lieblingssendung ist der *Tatort*. | (10) Ich habe keine Lieblingssendung. | (11) Ich treffe mich an jedem Sonntagabend mit zwei Freundinnen. | (12) Dann kochen wir zusammen und anschließend sehen wir uns den neuen Tatort an.

b Zu welchen Fragen passen die Sätze aus **a**? Sortieren Sie. Mehrere Lösungen sind möglich.

Was sehen Sie gern im Fernsehen? 1, _____
Haben Sie eine Lieblingssendung/Lieblingsserie? _____
Wo, wann und mit wem sehen Sie sie? _____
Haben Sie bestimmte Gewohnheiten? _____

c Was sehen Sie gern im Fernsehen / auf DVD / im Internet? Machen Sie Notizen zu den Fragen in **b** und erzählen Sie. Benutzen Sie die Redemittel aus **a**.

Ich sehe jeden Samstag um 18.00 Uhr die Sportschau. Ich treffe mich meistens mit zwei Freunden bei mir zu Hause. Danach essen wir gemeinsam.

Spiel & Spaß

Diktat

AB **6** **Medienverhalten**

a Welche Medien nutzen Sie am häufigsten? Machen Sie eine Tabelle wie im Beispiel.

Fernsehen | Computer/Internet | Handy | Radio | DVD/Video-Player | CD-/MP3-Player | Bücher | Zeitungen | E-Book-Reader

Welche drei Medien nutzen Sie am häufigsten?	Was machen Sie?	Wann?	Wo?	Wie lange pro Tag/Woche/...?
Internet	mit Freunden chatten, soziale Netzwerke nutzen			knapp 2 Stunden pro Tag
Handy	SMS schreiben		überall, außer in der Badewanne	circa 1 Stunde am Tag
Fernsehen				

b Arbeiten Sie zu zweit und erzählen Sie.

- ■ Welche Medien nutzt du am häufigsten?
- ● Am häufigsten bin ich im Internet. Außerdem schreibe ich sehr oft SMS und abends sehe ich gern fern.
- ■ Im Internet bin ich auch am häufigsten. Ich sehe mir oft Videos an. Und du?
  ...

GRAMMATIK

Verben mit Dativ und Akkusativ

	Wem? (Person)	Was? (Sache)
Sie können	Ihren Freunden auch	Tatortsendungen kaufen.

auch so bei: schenken, geben, empfehlen, schicken, nehmen, leihen, bringen, erzählen, zeigen, holen, schreiben

Stellung der Objekte

	Wem? (Person) Dativ	Was? (Sache) Akkusativ
Der Tatort gibt	den Zuschauern/ ihnen	Abwechslung.
	Was? (Sache) Akkusativpronomen	**Wem? (Person) Dativ**
Der Tatort gibt	sie	den Zuschauern./ ihnen.

KOMMUNIKATION

über Fernsehgewohnheiten sprechen

Ich sehe am liebsten / immer/ meistens ...
Ich treffe mich mit ...
Wir treffen uns bei ... / im ...
Manchmal gucke ich ... allein zu Hause, aber meistens zusammen mit ...
Ich sehe oft ..., aber ich habe keine feste Gewohnheit. Manchmal ...
Wenn ich am ... keine Zeit habe, gucke ich ... später in der Mediathek.
Dazu gibt's immer ...
Dann kochen wir zusammen und anschließend sehen wir ...
Danach/Anschließend ...
Meine Lieblingssendung ist ...
Ich habe keine Lieblingssendung.

Eine Woche ohne Internet
– ein Selbstversuch

Daniel macht einen Selbstversuch: Auch das Handy ist nicht erlaubt!

Wissenschaftler nennen einen Menschen wie mich *Digital Native.* Das heißt, ich bin nach 1980 geboren und mit der digitalen Technik aufgewachsen. Für mich ist der Umgang mit dem Internet deshalb ganz normal. Ich gehe entweder mit meinem Smartphone oder mit dem PC ins Internet. Ich kaufe, konsumiere und kommuniziere über das Internet. Ich telefoniere, recherchiere und
5 lerne damit. Aber ein paar Dinge mache ich noch analog, z.B. mich verlieben oder essen ☺. Stimmt es also, was Ältere sagen? Dass das Internet süchtig macht? Oder sind diese Ängste übertrieben? Ich will es genau wissen und starte einen Selbstversuch: Eine Woche ohne Internet und Handy. Geht das überhaupt?

Erster Tag:
10 Weil ich keine SMS oder E-Mails verschicken kann, suche ich unterwegs nach öffentlichen Telefonzellen. Vorher muss ich allerdings alle Telefonnummern auf einen Zettel schreiben. Vor allem die Nummer meiner Freundin. Ich muss sie so oft wie möglich anrufen. Schließlich bin ich
15 ihr schon *mit* Handy zu selten erreichbar. Nach dem dritten Anruf plane ich ein neues Projekt: Ich will meiner Freundin einen Brief schreiben!

Zweiter Tag:
Der Brief ist fertig. Ganz schön anstrengend, wenn man so
20 viel mit der Hand schreiben muss. Was nun? Ich stecke ihn in einen Briefumschlag und laufe zur Post. Am Schalter kaufe ich eine Briefmarke. Hinterher wird der Brief noch in den Briefkasten geworfen. Puh! Ganz schön aufwendig!

Dritter Tag:
25 In unserer Straße wird ein Haus abgerissen. Ich will spontan ein paar Fotos machen. Aber ohne Handy geht das nicht. Ich muss meine alte Kamera wieder ausgraben. Zum Glück sind bei meinem Selbstversuch wenigstens digitale Fotos erlaubt!

30 **Vierter Tag:**
Ich habe „Phantomschmerzen": Ab und zu höre ich mein Handy klingeln oder fühle es in der Hosentasche vibrieren, obwohl es gar nicht da ist. Am Nachmittag habe ich plötzlich viel Zeit übrig. Wo kommt die denn her? Wahrschein-
35 lich, weil ich keine Serien im Internet angucke. Also sehe ich mir einen Spielfilm auf DVD an.

Fünfter Tag:
Meine Freundin hat den Brief bekommen! Sie hat sich so gefreut, dass ich ihr gleich noch etwas schicke: Ein Päck-
40 chen mit einem kleinen Geschenk (ein Parfüm). Das ist mal was Besonderes. Ich gebe das Päckchen am Schalter ab. Dieses Mal fühle ich mich wie ein Profi.

Sechster Tag:
Ich fahre zu einer Party und merke erst in der U-Bahn, dass
45 ich nicht weiß, wie ich hinkomme. Normalerweise informiere ich mich immer unterwegs – mit meinem Handy. Ich stehe sehr lange vor dem Fahrplan und schaue mir die Tabellen an. Schließlich bitte ich eine alte Dame um Hilfe. Sie erklärt mir, wie ich zum Ziel komme. Gar nicht
50 so schwer.

Siebter Tag:
Heute treffe ich mich mit meiner Mutter in der Stadt. Normalerweise ist sie immer total genervt, wenn ich nebenbei noch SMS schreibe. Diesmal habe ich mehr Zeit
55 für sie. Wir gehen in ein Restaurant und essen etwas zusammen.

Endlich, die Woche ist vorbei! Es war ganz schön anstrengend. Fazit: Ich hatte zwar weniger Kontakte, aber der einzelne Kontakt war länger und intensiver. Deshalb: Ganz ohne Internet leben will ich nicht, aber ich werde in Zukunft öfter mal eine internetfreie Woche planen.

1 **Lesen Sie den Text und markieren Sie die passenden Aussagen zu den Fragen farbig.**

Was kann Daniel nicht wie sonst machen? | Was muss er anders machen? |
Was lernt er? | Wie findet er das?

2 **Und Sie? Würden Sie auch gern eine internetfreie Woche machen? Erzählen Sie.**

▶ Clip 5 **1** **In der Küche**

a Was kocht Lena? Sehen Sie den Anfang des Films (bis 0:50) und kreuzen Sie an.

Lena kocht ○ Kartoffelsuppe. ○ Labskaus.

b Welche Zutaten braucht Lena dafür?
Sehen Sie den Film weiter und kreuzen Sie an.

- ○ Kartoffeln
- ○ Reis
- ○ Fleisch
- ⊗ Hering
- ○ Würstchen
- ⊗ Zwiebeln
- ○ Bohnen
- ○ Rote Bete
- ○ Essiggurken
- ○ Salatgurken

c Was passt? Sehen Sie den Film noch einmal und ordnen Sie zu. Nicht alle Lösungen passen.

Lena | Lenas Großvater | Weißwürste | süddeutsches | Melanies Großmutter | norddeutsches | Labskaus | Hamburg | Melanies Großvater | Seefahrer | Lenas Großmutter | Bayern | Melanie

1 Labskaus haben _____ nach Deutschland gebracht.
2 Es ist ein _____ Gericht.
3 _____ hat einmal im Monat Labskaus gekocht, als er noch gelebt hat.
4 _____ hat nie gekocht, er ist lieber spazieren gegangen.
5 Weißwürste sind eine Spezialität aus _____.
6 _____ isst man oft mit der Hand.

▶ Clip 5 **2** **Kulturelle Unterschiede beim Essen**

a Machen Sie Notizen zu den Fragen. Sehen Sie dann das Ende des Films (ab 2:08) noch einmal und vergleichen Sie.

1 Was sagt Melanie zu den Zutaten?
2 Was sagt Melanie, als sie das Labskaus probiert?
3 Was sagt Lena, als sie die Weißwürste probiert?
4 Zu welcher Mahlzeit isst man Weißwürste und wie findet Lena das?

b Und Sie? Wann haben Sie zuletzt ein neues Gericht gegessen? Erzählen Sie.

In Spanien habe ich Gazpacho gegessen. Das ist eine kalte Gemüsesuppe. Bei uns isst man nur warme Suppen. Gazpacho hat mir aber sehr gut geschmeckt.

1 Deutschkurse in Berlin. Was ist richtig?

Lesen Sie die Internetseite und kreuzen Sie an.

AUF NACH DEUTSCHLAND

Deutsch lernen in Berlin

Ob Standardsprachkurse, Sprachkurse für den Beruf oder Kurse zur Prüfungsvorbereitung, wir haben für alle Wünsche das passende Angebot. Fragen Sie uns einfach!

▶ WEITERE INFORMATIONEN

Vier gute Gründe für eine Sprachreise bei *Auf nach Deutschland*:

1 Abwechslungsreiches Lernen in kleinen Gruppen
Bei uns lernen Sie mit Spaß und Erfolg. Sie lernen Deutsch in kommunikativen Situationen und arbeiten allein, zu zweit oder in Gruppen. Unsere Lehrer arbeiten mit modernen Medien und mit kreativen Methoden: Wir singen, spielen Theater, drehen Filme und vieles mehr. Denn schon seit über 20 Jahren ist unser Motto: Nur durch Abwechslung lernen Sie mit Spaß und Erfolg.

2 Zahlreiche Ausflüge und ein attraktives Freizeitprogramm
Bei den Ausflügen lernen Sie Berlin und seine Umgebung kennen. Sie treffen Menschen und erleben Kultur nicht nur im Kursraum. So können Sie das Gelernte gleich in die Praxis umsetzen.

3 Große Kursauswahl
Wir haben sicher den passenden Sprachkurs für Sie. Fragen Sie uns einfach! Wir beraten Sie gern.

4 Große Auswahl bei den Unterkünften
Egal, ob Hotel, Gastfamilie oder preiswertes Zimmer – wir haben die passende Unterkunft für Sie.

a In den Kursen werden viele unterschiedliche Sachen gemacht. ○
b Ausflüge müssen die Teilnehmer selbst organisieren. ○
c Die Sprachenschule bietet nur Anfängerkurse an. ○
d Die Schüler wohnen bei Gastfamilien. ○

2 Sie sind eine Woche lang in einem Deutschkurs.

Arbeiten Sie in Gruppen und entwerfen Sie Ihren „perfekten" Sprachkurs.
Machen Sie ein Plakat und präsentieren Sie Ihren Kurs.

UNSER PROGRAMM IN INNSBRUCK

Montag	9 – 11 Uhr Sprachkurs	Mittagessen in einem Kaffeehaus	Stadtführung
Dienstag	
...	

So läuft der Unterricht ab:
kleine Gruppen, wenig Grammatikübungen, viele Rollenspiele

SO? ... ODER SO?

○ Was du online bestellst, das bringe ich dir.
Ich bekomme leider nur sehr wenig dafür.
Meine Arbeit beim Paketdienst wird schlecht bezahlt.
Für den stressigen Job gibt's nur ein Minigehalt.
Ich wäre froh, wenn ich was Besseres hätte.
Trotzdem bin ich immer freundlich und nett.
Hier, dein Paket, ich gebe es dir.
Vielleicht gibst du mir ein Trinkgeld dafür?

② Schöne Welt! Es kostet so wenig Geld.
Preisvergleich. Das geht superleicht.
Über Nacht. Es wird nach Hause gebracht.
Wunderschön! So soll's weitergehen!
Wunderschön! So soll's immer weitergehen!

○ Ich muss nicht mehr aus meiner Wohnung gehen.
Ich muss nur noch in den Computer sehen.
Erst wird eingeloggt, dann suche ich was aus.
Ich brauche dafür nur eine Hand an der Maus.
Alles geht so einfach und so schnell.
Sogar mein Einkaufswagen ist virtuell.
Am Ende wird noch mal kurz geklickt:
„Danke, die Bestellung wurde abgeschickt!"

○ Falsche Welt! Ich verdiene kaum Geld.
Weißt du schon? Ich kann kaum leben davon.
Harte Zeit! Mein Job ist nicht leicht.
Gar nicht schön. So darf's nicht weitergehen!
Gar nicht schön. So darf es nicht mehr weitergehen!

▶ 2 08 **1 Sortieren Sie die Strophen. Hören Sie dann das Lied und vergleichen Sie.**

▶ 2 08 **2 Hören Sie noch einmal und singen Sie mit.**

▶ 2 09

Hören/Sprechen: ein Zimmer buchen: *Haben Sie noch ein Zimmer frei?*; einen Weg beschreiben: *Gehen Sie am Frühstücksraum vorbei.*

Wortfeld: im Hotel

Grammatik: indirekte Fragen: *ob, wie lange*; lokale Präpositionen: *gegenüber von, an ... vorbei, durch*

1 Sehen Sie das Foto an und beantworten Sie die Fragen. Was meinen Sie?

Wo sind die Personen?
Wer sind sie?
Was passiert gerade?

Der Mann links hat ein Paket. Ich glaube, dass die Personen ...

2 Was passt? Hören Sie und ordnen Sie zu.

a Frau Thalau steht an der Rezeption   möchte eine Unterschrift.
b Der Gast an der Rezeption   möchte ein Zimmer reservieren.
c Der Postbote bringt ein Paket und   beschwert sich, weil sein Zimmer schmutzig ist.
d Die Anruferin   und wartet auf den Zimmerschlüssel.

● Einzelzimmer	● Doppelzimmer	● Nichtraucherzimmer	● Sauna	● Schwimmbad	● Frühstücksrau

▸ 2 10
AB

3 Ich würde gern wissen, ob Sie noch ein Zimmer frei haben.

a Was passt? Hören Sie und kreuzen Sie an.

1 Die Personen machen eine Ausbildung in einem ○ Restaurant. ⊗ Hotel.
2 Frau Thalau bleibt zwei Nächte und bekommt ein ○ Doppelzimmer
   ○ Einzelzimmer nur mit ○ Frühstück. ○ Halbpension.
3 Herr Klein bekommt ein Zimmer mit ○ Halbpension. ○ Strandblick.
4 Für die Anruferin gibt es ○ kein Zimmer mehr. ○ noch ein Zimmer.

b Wer sagt was? Hören Sie noch einmal und kreuzen Sie an.

	REZEPTIONIST	FRAU THALAU	HERR KLEIN
1 Ich würde gern wissen, ob Sie noch ein Zimmer frei haben.	○	○	○
2 Darf ich fragen, wie lange Sie bei uns bleiben möchten?	○	○	○
3 Brauchen Sie ein Einzelzimmer oder ein Doppelzimmer?	○	○	○
4 Im Bad sind überall Haare.	○	○	○
5 Es tut mir leid, wenn Sie Ärger hatten.	○	○	○
6 Tut mir leid, wir sind ausgebucht.	○	○	○

c Höfliche Fragen mit ob und wie lange: Ergänzen Sie die Tabelle.

Ja/Nein-Fragen	Haben Sie noch ein Zimmer frei?	Ich würde gern wissen, _____ Sie noch ein Zimmer frei haben?
Fragen mit Fragewort	Wie lange möchten Sie denn bei uns bleiben?	Darf ich fragen, _____ Sie denn bei uns bleiben möchten?

AB **4 Können Sie mir sagen, wann das Restaurant geöffnet hat?**

a Im Hotel: Höfliche Fragen. Arbeiten Sie auf Seite 77. Ihre Partnerin / Ihr Partner arbeitet auf Seite 80.

b Rollenspiele: Spielen Sie Gespräche im Hotel.

① **Hotelangestellte/-r:**
nur noch Doppelzimmer

Gast:
Einzelzimmer, 4 Nächte, Halbpension

Guten Tag, kann ich Ihnen helfen?	Ich möchte ein Zimmer buchen. / Haben Sie noch ein Zimmer frei?
Darf ich fragen, wie lange Sie bleiben möchten? / Möchten Sie ein Einzel- oder ein Doppelzimmer?	Ich brauche ein ... für ... Nächte.
Wir haben noch ein ...zimmer mit Frühstück oder Halbpension ... Möchten Sie es buchen?	Ja, gern. Mit ...
Hier ist Ihr Schlüssel. Ich wünsche Ihnen einen angenehmen Aufenthalt.	Vielen Dank!

② **Hotelangestellte/-r:**
Restaurant: Mo–Fr 6.30–22 Uhr, Sa. + So. 8–23 Uhr,
Sauna im Keller, Öffnungszeiten täglich 19–23 Uhr

Gast:
Öffnungszeiten Restaurant?
Sauna wo?

Guten Tag, kann ich Ihnen helfen?	Ich möchte gern wissen, wann … geöffnet hat.
… hat von Montag bis Freitag von … bis … Uhr geöffnet und am Wochenende von … bis …	Sehr gut, vielen Dank. Und können Sie mir sagen, wo … ist?
… ist … Die Öffnungszeiten sind … Ich wünsche Ihnen viel Spaß.	Vielen Dank!

(Spaltenbeschriftung senkrecht: KOMMUNIKATION)

AB **5** **Räume im Hotel**

(senkrecht: Spiel & Spaß)

a Wählen Sie einen Raum/Ort aus dem Bildlexikon. Was machen Sie dort?
Machen Sie eine Bewegung. Die anderen raten.

■ Ich glaube, dass du im Konferenzraum sitzt.
   Du findest die Sitzung langweilig.
● Nein.
▲ Bist du …

▶ 2 11 **b** Hören Sie und kreuzen Sie an.

(senkrecht: interessant?)

1 Der Gast sucht   ○ die Sauna.   ○ das Schwimmbad.
2 Die Sauna ist gegenüber   ○ von der Keller-Bar.   ○ vom Schwimmbad.
3 Der Gast war schon im   ○ Schwimmbad.   ○ Konferenzraum.

▶ 2 12 **6** **Ist die Sauna gegenüber von der Keller-Bar?**

AB

(senkrecht: Spiel & Spaß)

a Ergänzen Sie. Hören Sie dann und vergleichen Sie.

gegenüber vom | am … vorbei | durch

1 Gehen Sie _____ Frühstücksraum _____!
2 Gehen Sie _____ die Glastür!
3 Die Sauna liegt _____ Schwimmbad.

		Dativ			Akkusativ	
●	gegenüber von	einem/dem	Raum	durch	einen/den	Raum
●	an … vorbei	einem/dem	Restaurant		ein/das	Restaurant
●		einer/der	Bar		eine/die	Bar
○		zwei	Räumen		zwei	Räume

(senkrecht: GRAMMATIK)

GRAMMATIK ! von dem = vom
            an dem = am

b Wege beschreiben: Nach der Keller-Bar noch ein Stück geradeaus.
Arbeiten Sie zu zweit auf Seite 78.

7 **Schließen Sie die Augen und beschreiben Sie einen Weg durch das Kursgebäude.**
Sie starten im Kursraum. Wohin gehen Sie? Die anderen raten.

> Ich gehe durch die Tür auf den Flur hinaus. Dann gehe ich nach rechts. Ich gehe bis zur Treppe …

GRAMMATIK

indirekte Fragen

Ich würde gern wissen,	**ob** Sie noch ein Zimmer frei	haben?
Darf ich fragen,	**wie lange** Sie bleiben	möchten?

auch so: Können Sie mir sagen/erklären, … / Wissen Sie, … / Ich weiß nicht, …

lokale Präpositionen *gegenüber von, an … vorbei* + Dativ

●	gegenüber von / an … vorbei	einem/dem	Frühstücksraum
●		einem/dem	Restaurant
●		einer/der	Bar
●		zwei	Konferenzräumen

lokale Präposition *durch* + Akkusativ

●	durch	einen/den	Frühstücksraum
●		ein/das	Restaurant
●		eine/die	Bar
●		zwei	Konferenzräume

einen Weg beschreiben

Am besten gehen Sie geradeaus / nach rechts / nach links / am Frühstücksraum vorbei / durch die Empfangshalle / …
Und dann gehen Sie durch die Glastür / ins Treppenhaus / in den Keller.
Nehmen Sie die Treppe nach unten/oben.
Die Sauna liegt/ist gegenüber vom Schwimmbad / neben … / zwischen … und …

KOMMUNIKATION

im Hotel: ein Zimmer buchen

Guten Tag, kann ich Ihnen helfen?	Ich möchte ein Zimmer buchen. / Haben Sie noch ein Zimmer frei?
Darf ich fragen, wie lange Sie bleiben möchten? / Möchten Sie ein Einzel- oder ein Doppelzimmer?	Ich brauche ein … für … Nächte.
Wir haben noch ein …zimmer mit Frühstück / … Möchten Sie es buchen?	Ja, gern.
Hier ist Ihr Schlüssel. Ich wünsche Ihnen einen angenehmen Aufenthalt.	Vielen Dank.

im Hotel: um Informationen bitten

Guten Tag, kann ich Ihnen helfen?	Ich möchte gern wissen, wann … geöffnet hat.
… hat von Montag bis Freitag von … bis … Uhr geöffnet und am Wochenende von … bis …	Sehr gut, vielen Dank. Und können Sie mir sagen, wo … ist?
… ist … Die Öffnungszeiten sind …	Vielen Dank!
Ich wünsche Ihnen viel Spaß.	

Wir wollen nach Rumänien.

▶ 2 13 **1** **Was ist richtig? Sehen Sie das Foto an, hören Sie und kreuzen Sie an.**

a Simone und Felix
  ○ fahren in den Urlaub.   ○ kommen aus dem Urlaub zurück.
b Die Nachbarin soll   ○ auf sich   ○ auf das Haus   aufpassen.
c Simone und Felix wollen
  ○ eine Postkarte   ○ ein Tagebuch im Internet   schreiben.

2 **Mit welchen Verkehrsmitteln verreisen Sie gern? Erzählen Sie.**

■ Ich verreise gern mit dem Flugzeug, weil ich dann schnell
  am Urlaubsort bin.
● Ich fahre am liebsten ...

Beruf

Sprechen: über Reise-
gewohnheiten sprechen

Lesen: Reisetagebuch im
Internet

Schreiben: etwas
kommentieren: *Das ist
wirklich ärgerlich!*

Wortfelder: Reise und
Verkehr

Grammatik: lokale
Präpositionen: *am Meer,
ans Meer*

Spiel & Spaß

3 **Sehen Sie ins Bildlexikon. Beschreiben Sie ein Wort. Die anderen raten.**

■ Wenn man ein Auto hat, muss man das vor dem Winter machen.
● Vielleicht muss man dann in die Werkstatt gehen?

AB **4** **Unsere Reise nach Rumänien**

a Welches Foto passt? Überfliegen Sie das Reisetagebuch und ordnen Sie zu.

Hallo, wir sind ein Pärchen aus München und verreisen gern mit unseren Motorrädern. Mit keinem anderen Fahrzeug kommt man so schnell mit den Menschen in Kontakt – außer mit dem Fahrrad vielleicht. Diesmal wollen wir bis ans Schwarze Meer, nach Rumänien. Wenn alles gut läuft, sind wir in vier Wochen am Meer. Wollt ihr wissen, was wir auf unserer Reise so erleben? Dann lest unser Reisetagebuch!
5 Viel Spaß dabei wünschen Felix & Simone

Ⓐ 7.–14. Juli: Gleich nach unserer Abfahrt haben wir eine Reifenpanne. Zum Glück finden wir schnell eine Tankstelle mit Werkstatt. Felix wechselt seinen Reifen und ich tanke. Aber das Ganze kostet uns
10 Zeit. Insgesamt brauchen wir eine Woche durch Deutschland, Österreich und Ungarn. In Deutschland und Österreich benutzen wir noch viel die Autobahn. In Ungarn fahren wir nur auf kleinen Straßen. Wir überqueren fünfmal die Donau mit
15 einer Fähre. Dabei werden die Schiffe immer kleiner. Am Ende passt nur noch ein Motorrad hinein. Ganz schön gefährlich!

Muriel: Das überrascht mich. Mitten in Europa so kleine Fähren!

Ⓑ 20 16. Juli: Hoppla! Da liegt Simone plötzlich auf der Seite. Tja, auf den Straßen in Rumänien muss man vorsichtig fahren. Besonders, wenn es geregnet hat. Nur die großen Straßen haben hier Asphalt. Aber genau das wollen wir ja! Zum Glück ist Simone
25 nichts passiert. Aber oft kommen wir schmutzig und müde im Hotel an. Wir duschen und ruhen uns aus. Wenn wir dann abends sauber zum Essen gehen, erkennt uns keiner wieder.

Ⓒ Săpânța – 22. Juli: Seit gestern sind wir in Săpânța,
30 einem kleinen Dorf in der Region Maramures. Das ist ganz in der Nähe der ukrainischen Grenze. Wir wohnen in einem alten Bauernhaus. Auf dem Feld wird noch gearbeitet wie früher. Ohne Maschinen, nur mit Pferden. Das sieht romantisch aus, ist aber
35 sicher harte Arbeit. Dafür schmeckt das Gemüse toll. Zum Abendessen haben wir die besten Tomaten der Welt gegessen!

Ⓓ Und jetzt kommt das Beste: Săpânța hat einen weltberühmten Friedhof mit vielen bunten Holz-
40 kreuzen. Und weil die Holzkreuze mit ihren bunten Farben gar nicht traurig aussehen, wird der Friedhof auch „der fröhliche Friedhof" genannt.

Jörg: Nicht zu glauben! Toll! So sollten unsere Friedhöfe auch aussehen.

Ⓔ 45 Viseu de Sus – 25. Juli: Heute waren wir auf einem Markt in Viseu de Sus. Dort werden viele Lebensmittel und Tiere verkauft. Jemand hat auch Kassetten mit rumänischer Musik angeboten. Felix hat sich eine gekauft. Und stellt euch vor, was er
50 als Wechselgeld bekommen hat: einen Geldschein, eine Münze und ... zwei Kaugummis!

| • Autobahn | • Fähre | • Schiff | • Wagen | • Motorrad |

b Was ist richtig? Lesen Sie noch einmal und kreuzen Sie an.

1 Felix und Simone wollen mit dem Motorrad ans Schwarze Meer fahren.   ◯
2 Gleich nach der Abfahrt haben die beiden Probleme mit dem Motor.   ◯
3 Bei dem Unfall in Rumänien ist Simone etwas passiert.   ◯
4 Bei der Ankunft im Hotel sind die beiden oft müde.   ◯
5 Auf den Feldern sieht man keine Maschinen, aber viele Pferde.   ◯
6 In Rumänien gibt es keine bekannten Sehenswürdigkeiten.   ◯
7 Auf dem Markt in Viseu de Sus hat ihnen jemand rumänische Musik verkauft.   ◯

c Wörter im Text verstehen:
Arbeiten Sie zu zweit auf Seite 79.

für Sachen:	etwas	↔	nichts
für Personen:	einer	↔	keiner
	jemand	↔	niemand

INFO

Spiel & Spaß

d *Wohin* und *Wo*. Ergänzen Sie die Präpositionen. Hilfe finden Sie im Text in 4a.

Wohin?		**Wo?**	
_____	Meer	_____	Meer
an	die Küste	an	der Küste
an	den Bodensee/Strand	am	Bodensee/Strand
auf	eine Insel	auf	einer Insel
aufs	Land	auf	dem Land
in	die Wüste / die Berge / den Wald/Süden	in	der Wüste / in den Bergen
ins	Gebirge	im	Wald/Gebirge/Süden
nach	Săpânța/Berlin	_____	Săpânța/Berlin
_____	Rumänien/Deutschland	_____	Rumänien/Deutschland

! in die Schweiz   ! in der Schweiz

GRAMMATIK

e Kettenübung: Wo warst du im Urlaub?

■ Ich war in den Bergen.   ▲ Ich war auf einer Insel.
● Du warst in den Bergen?   ○ Du warst auf einer Insel?
■ Ja, wir sind in die Berge gefahren.   …
   Und du?

AB 5 Schreiben Sie zu zweit vier Kommentare zu dem Reisetagebuch in 4a.
Tauschen Sie die Kommentare dann mit einem anderen Paar. Zu welchem Textabschnitt
passen die Kommentare?

Diktat

Nicht zu glauben! Es gibt noch Sandstraßen in Europa / …
So ein Zufall! Ich war auch schon einmal auf dem Friedhof / in …
Die Straßen / Der Markt … sehen/sieht schrecklich/toll/interessant/… aus.
Ist das nicht schön/spannend/langweilig/unangenehm/…?
Ich finde das toll/prima/schlimm/…
Das hat sicher Spaß gemacht.
Das war sicher/bestimmt anstrengend/interessant/ …
So ein Pech! Das ist wirklich ärgerlich!

KOMMUNIKATION

AB **6** **Geschichten-Lotterie**

a Arbeiten Sie in Kleingruppen. Sie erhalten vier kleine Zettel und beschriften Sie.
Sammeln Sie dann die Zettel ein und mischen Sie sie.

1. Zettel: ein Ort (z.B. Strand, Kino, Büro, Fähre ...)
2. Zettel: eine Zeit (z.B. Sommer, Ostern, Semesterferien ...)
3. Zettel + 4. Zettel: je eine Person (z.B. beste Freundin, lustiger Kellner,
   glücklicher Busfahrer, trauriges Kind, netter Reiseführer ...)

b Ziehen Sie einen Ort, eine Zeit und zwei Personen.
Planen Sie eine Geschichte in Ihrer Kleingruppe.

Strand   lustiger Kellner

beste Freundin

Sommer

c Schreiben Sie nun gemeinsam Ihre Geschichte.

> Letzten Sommer war ich mit meiner besten Freundin im
> Urlaub. Wir sind nach Brasilien geflogen.
> Das Wetter war super. Wir waren viel in der Sonne am
> Strand und haben uns ausgeruht ...

GRAMMATIK

Lokale Präpositionen

Wohin? + Akkusativ (außer bei *nach*)		Wo? + Dativ	
ans	Meer	am	Meer
an	die Küste	an	der Küste
an	den Bodensee/Strand	am	Bodensee/Strand
auf	eine Insel	auf	einer Insel
aufs	Land	auf	dem Land
in	die Wüste / die Berge / den Süden/Wald	in	der Wüste / den Bergen
ins	Gebirge	im	Wald/Gebirge/Süden
nach	Rumänien/Berlin	in	Rumänien/Berlin
! in die Schweiz		! in der Schweiz	

KOMMUNIKATION

etwas kommentieren

Nicht zu glauben! Es gibt noch Sandstraßen
  in Europa / ...
So ein Zufall! Ich war auch schon einmal
  auf dem Friedhof / in ...
Die Straßen / Der Markt ... sehen/sieht
  schrecklich/toll/interessant/... aus.
Ist das nicht schön/spannend/langweilig/
  unangenehm/...?
Ich finde das toll/prima/schlimm/...
Das hat sicher Spaß gemacht.
Das war sicher/bestimmt anstrengend/
  interessant/ ...
So ein Pech! Das ist wirklich ärgerlich!

Audiotraining

Karaoke

Sprechen: über das Wetter sprechen: *Im Herbst sind viele Schauer typisch.*

Lesen: Sachtext

Wortfeld: Wetter

Grammatik: Verben mit Präpositionen: *sich interessieren für*; Fragen und Präpositional-adverbien: *Worauf …?*

▶2 14 | **1** **Was ist richtig? Sehen Sie die Fotos an, hören Sie und kreuzen Sie an.**

    a Der Mann freut sich über die Kälte. ○

    b Die Frau beschwert sich über die Hitze. ○

AB | **2** **Sommer oder Winter?**

  a Was mögen Sie? Kreuzen Sie an, ergänzen und erzählen Sie.

Sommertyp	○ Sonne	○ Schwimmen	○ Eis	○ _____
Wintertyp	○ Schnee	○ Ski fahren	○ Glühwein	○ _____

  b Sind Sie ein Sommer- oder ein Wintertyp? Machen Sie eine Kursstatistik.

• Hoch	• Tief	• Temperatur	trocken	feucht	• Niederschlag	• Frost

AB **3 Ihre Meinung zum Wetter**

▶ 2 15–16 **a** Hören Sie die Interviews und ordnen Sie zu.

1 Darf ich kurz mit Ihnen über   für Wintersport.
2 Haben Sie denn keine Lust   für Ihre Meinung zum Wetter.
3 Ich interessiere mich nicht   mit diesem schönen Sommertag.
4 Die meisten Menschen freuen sich   mit mir?
5 Sprechen Sie   auf Eis und Schnee?
6 Ich interessiere mich   Winter geträumt.
7 Ich denke, Sie sind so richtig zufrieden   diesen wunderbaren Winter sprechen?
8 Quatsch! Ich habe vom   über die Hitze.
9 Ich ärgere mich   auf einen heißen Tee.

b Lesen Sie die Sätze in **a** noch einmal und ergänzen Sie die Präpositionen und Endungen.

Verben mit Präpositionen + Akkusativ	Verben mit Präpositionen + Dativ
Sie freuen sich _____ ein__ heißen Tee. Ich ärgere mich _____ die Hitze.	Sind Sie zufrieden _____ dies__ schönen Sommertag? Sprechen Sie _____ mir?
auch so: sprechen über, Lust haben auf, sich interessieren für	*auch so:* träumen von

(GRAMMATIK)

c Schreiben Sie vier Sätze auf einen Zettel. Mischen Sie die Zettel, ziehen Sie einen neuen und lesen Sie vor. Die anderen raten: Wer hat das geschrieben?

> Ich interessiere mich überhaupt nicht für …   Ich ärgere mich nie über …
> Ich bin zufrieden mit …   Ich habe Lust auf …

AB **4 Und worauf freuen Sie sich?**

Spiel & Spaß

a Ergänzen Sie. Hilfe finden Sie in der Tabelle.

Auf | auf | Darauf | darüber | mit | Worauf

■ Haben Sie denn gar keine
   Lust _____ Eis und Schnee?
● Im Gegenteil: Ich ärgere
   mich _____.

■ _____ freuen Sie sich?
● _____ Sonne, auf Wärme,
   auf den Sommer. _____ freue
   ich mich.

▲ Sprechen Sie _____ mir?
● Ja, ich spreche mit Ihnen.

	sich freuen auf	sich ärgern über
Sachen	Worauf freust du dich?	Worüber ärgerst du dich?
	Auf den Sommer! Darauf freue ich mich.	Über den Schnee! Darüber ärgere ich mich.
Personen	Auf wen freust du dich?	Über wen ärgerst du dich?
	Auf dich.	Über dich.

auch so: mit → womit/damit; für → wofür/dafür,
   von → wovon/davon, …

(GRAMMATIK)

b Interview: Worauf freust du dich? Arbeiten Sie zu zweit auf Seite 81.

AB **5** **Wind und Wetter in den deutschsprachigen Ländern**

a Überfliegen Sie den Text und sehen Sie die Wetterkarten an. Aus welcher Himmelsrichtung kommt das Wetter? Notieren Sie. Hilfe finden Sie im Bildlexikon.

WIND & WETTER *in den deutschsprachigen Ländern*

Unser Wetter kommt vor allem aus zwei Himmelsrichtungen: Tiefdruckgebiete (Tiefs) kommen meist aus dem Westen und bringen feuchte Meeresluft mit vielen Niederschlägen und mittleren Temperaturen. Aus dem Osten kommen dagegen oft stabile Hochdruckgebiete (Hochs) mit Trockenheit und extremen Temperaturen. Wenn Regentropfen ○ oder Schneeflocken ❋ fallen, ist also oft Westwind im Spiel. Die Temperaturen sind dann meist im Winter nicht niedriger als 0°C und im Sommer nicht viel höher als 20°C. Stabile Hitzeperioden mit 30°C und mehr kommen fast immer mit dem Ostwind zu uns, genau wie länger andauernde Kälte mit eisigen Temperaturen und Dauerfrost.

Hauptstadtwetter in	… Bern	… Berlin	… Wien
Durchschnittliche Jahrestemperatur	8,1°C	8,9°C	9,8°C
wärmster Monat	Juli (17,4°C)	Juli (18,5°C)	Juli (19,9°C)
kältester Monat	Januar (-1,0°C)	Januar (-0,6°C)	Januar (-1,4°C)

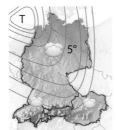

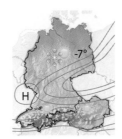

aus dem _____   _____

b Lesen Sie noch einmal und beantworten Sie die Fragen. Schreiben Sie dann zwei eigene Fragen und tauschen Sie mit einem anderen Paar.

1 Woher kommt der Wind, wenn es viel regnet?
2 Es ist lange heiß und es sind über 30°C. Woher kommt das Wetter?
3 In welcher Hauptstadt ist die durchschnittliche Jahrestemperatur am niedrigsten?

AB **6** **Wie ist das Wetter an Ihrem Wohnort? Sprechen Sie.**

a Wie ist das Wetter heute?
b Ist es typisch für die Jahreszeit? Wie ist es sonst zu dieser Jahreszeit?

Wie ist das Wetter heute?	Es ist kalt/eisig/heiß/stürmisch/windig/trocken/ … Es regnet/schneit/…
Ist das Wetter typisch für die Jahreszeit?	In … sind/ist im Sommer/Winter/… Niederschläge/Schauer/… typisch. Die Temperaturen sind (sonst) nicht niedriger als / nicht höher als … Es ist sonst wärmer/stürmischer/feuchter/… als heute/zurzeit. Normalerweise ist das Wetter in …

interessant?

7 **Ratespiel: Wo bin ich?**

a Wo sind Sie? Machen Sie Notizen.

Kontinent?	Europa
Jahreszeit?	Winter
Wetter?	nicht so kalt, regnet manchmal, um 0° C
Land?	Dänemark
Stadt?	Kopenhagen
Sehenswürdigkeiten?	die kleine Meerjungfrau

b Beschreiben Sie die Jahreszeit, das Wetter und den Ort.
Die anderen raten den Kontinent, das Land und die Stadt.

- ■ Es ist Winter und nicht so kalt. Wir haben so um null Grad.
- ▲ Bist du in Europa?
- ■ Ja. Das Land ist sehr klein und liegt im Norden.
- ● Ich denke, dass du in Norwegen bist.
- ■ Nein, das stimmt nicht. Aber es ist nicht weit bis nach Norwegen.
- ○ Vielleicht bist du in Dänemark.
- ■ Ja. In der Stadt gibt es viele Sehenswürdigkeiten …

Audiotraining   Karaoke

GRAMMATIK

Verben mit Präpositionen

mit Akkusativ	mit Dativ
Sie freuen sich auf einen heißen Tee.	Sind Sie zufrieden mit diesem schönen Sommertag?
auch so: Lust haben auf sich interessieren für sich ärgern über sprechen über	*auch so:* sprechen mit träumen von

KOMMUNIKATION

über das Wetter sprechen

Wie ist das Wetter heute?   Es ist kalt/eisig/heiß/stürmisch/windig/trocken …   Es regnet/schneit/…
Ist das Wetter typisch für die Jahreszeit?   In … sind/ist im Sommer/Winter/… Niederschläge/ Schauer/… typisch.   Die Temperaturen sind (sonst) nicht niedriger als / nicht höher als …   Es ist sonst wärmer/stürmischer/feuchter/… als heute/zurzeit.   Normalerweise ist das Wetter in …

Fragen und Präpositionaladverbien

	Sachen		Personen	
Verb mit Präposition	Fragewort wo + (r*) + Präpo- sition	Präpositionaladverb da + (r*) + Präposition	Präposition + Fragewort	Präposition + Personalpro- nomen
sich freuen auf	Worauf …?	Darauf …	Auf wen … ?	Auf ihn/-/sie.
sich ärgern über	Worüber …?	Darüber …	Über wen … ?	Über ihn/-/sie.
sich interessieren für	Wofür …?	Dafür …	Für wen … ?	Für ihn/-/sie.
auch so: mit → womit/damit; von → wovon/davon * bei Präpositionen mit Vokal: auf, über				

Stadt, Land, Fluss – Erlebnis & Genuss!

Eine Kreuzfahrt entlang des Rheins

ERHOLUNG GESUCHT!

Sie ärgern sich über volle Strände und Stau auf der Autobahn? Sie fragen sich, ob Ihr Urlaub auch wirklich Entspannung bringt? Sie wollen sich erholen und trotzdem etwas erleben? Dann machen Sie Urlaub in Deutschland! Mit unseren Kreuzfahrtschiffen erkunden Sie traumhafte Städte am Rhein. Nutzen Sie unseren Wellness-Bereich und probieren Sie kulinarische Spezialitäten. Freuen Sie sich jetzt auf die Angebote in unserem neuen Katalog. Deutschland hat so viel zu bieten!

EINE REGION ERLEBEN!

Sie lieben die Abwechslung? Sie interessieren sich für Land und Leute, aber auch für Kultur? Sie haben Lust auf regionalen Wein und gutes Essen? Dann sind Sie bei uns genau richtig! Der längste Fluss in Deutschland führt vorbei an alten Römerstädten wie Köln und Speyer. Wir fahren an grünen Weinbergen entlang, mitten durch ein typisch deutsches Weinanbaugebiet. Gemeinsam besuchen wir die Loreley und probieren besondere Weine.

ENTSPANNT REISEN!

Auf unseren Kreuzfahrtschiffen genießen Sie den vollen Komfort. Ob in Ruhe lesen, Sport treiben oder sich mit Freunden treffen: Lassen Sie den Alltag und den Ärger hinter sich. Wir sorgen dafür, dass Ihr Aufenthalt nicht nur so angenehm wie möglich, sondern unvergesslich wird. Interessiert? Dann sprechen Sie mit uns! Oder buchen Sie jetzt gleich. Egal wann, das Rhein-Gebiet ist zu jeder Jahreszeit wunderschön!

1 **Welche Angebote können die Reisenden nutzen?**
Lesen Sie und notieren Sie.

Städte am Rhein kennenlernen, …

2 **Wäre eine Flusskreuzfahrt etwas für Sie? Warum / Warum nicht? Erzählen Sie.**

▶ Clip 6 **1** **In der Boutique**

a Welche Kleidungsstücke sehen Sie? Sehen Sie den Anfang des Films (bis 1:22) ohne Ton und notieren Sie.

Schuhe, _____

_____

_____

b Sehen Sie nun den ersten Teil des Films mit Ton (bis 2:00). Machen Sie Notizen zu den Fragen und vergleichen Sie dann mit Ihrer Partnerin / Ihrem Partner.

   1 Warum braucht Melanie ein neues Kleid?
   2 Wie findet Lena das Kleid?
   3 Ist Melanie zufrieden?

c Und Sie? Welche Einkaufsgewohnheiten haben Sie? Erzählen Sie.

   1 Gehen Sie gern einkaufen? Wann waren Sie zuletzt einkaufen?
   2 Gehen Sie lieber allein oder mit einer Freundin / einem Freund einkaufen?
   3 Was für ein Kleidungsstück haben Sie zuletzt gekauft? Beschreiben Sie.

> Ich gehe gern shoppen. Gestern war ich
> mit einer Freundin in der Stadt. Ich habe
> mir einen tollen Rock gekauft. Er ist ...

▶ Clip 6 **2** **Eine Wochenendreise**

a Was passt? Sehen Sie den zweiten Teil des Films (ab 2:01) und ergänzen Sie die Namen.

   1 _____ möchte _____ mit einer Wochenendreise überraschen.
   2 _____ ruft bei einer Pension in den Bergen an.
   3 Sie reserviert ein Zimmer für _____ und _____.

b Korrigieren Sie. Sehen Sie dann den zweiten Teil des Films (ab 2:01) noch einmal und vergleichen Sie.

   1 Melanie hat ihren ersten Hochzeitstag ~~schon genau~~ geplant. _noch nicht_
   2 Sie möchte mit Max eine Woche verreisen.
   3 Melanie möchte mit der Bahn fahren.
   4 Lena kennt eine romantische Pension in der Schweiz.
   5 Die Pension hat noch ein kleines Zimmer frei.
   6 Lena reserviert ein Doppelzimmer mit Halbpension.

1 **Lesen Sie den Text und sehen Sie die Karte an. Korrigieren Sie dann die Sätze.**

Das Wetter in der Schweiz

Die Schweiz hat milde Sommer und kühle Winter. Aber es gibt regionale Unterschiede, denn die Alpen teilen die Schweiz in zwei Wetterzonen: Im Norden ist es kühler, im Süden wärmer. So liegen die Durchschnittstemperaturen im Norden im Sommer bei 17°C (Juli) und im Winter bei 1°C (Januar). Hier ist es auch windiger als im Süden. Im Süden liegen die Temperaturen im Sommer bei durchschnittlich 20°C und im Winter bei durchschnittlich 4°C. In den Bergen ist es natürlich noch kälter. Die Wintersaison mit Schnee und Eis beginnt Mitte Dezember und dauert bis Mitte April. Doch das Wetter hält sich oft nicht an Durchschnittswerte. Hier einige Wetterrekorde in der Schweiz:

a Im Norden ist es wärmer als im Süden.
b In den Alpen dauert die Sommersaison vier Monate.
c Der heißeste Ort liegt im Norden.
d Am windigsten ist es im Osten.
e Den meisten Schnee an einem Tag hat man in Ackersand gemessen.

LOCARNO-MONTI
heißester Ort
(11.5°C durchschnittliche Jahrestemperatur)

JUNGFRAUJOCH
kältester Ort
(- 7.9°C durchschnittliche Jahrestemperatur) und windigster Ort

SÄNTIS
am meisten Schnee

ACKERSAND
trockenster Ort

2 **Wie ist das Wetter in Ihrem Heimatland/Lieblingsland?**
Wählen Sie ein Land, recherchieren Sie und machen Sie ein Plakat.
Präsentieren Sie dann Ihr Plakat im Kurs.

1 Das Wetter zu unterschiedlichen Jahreszeiten

	durchschnittliche Temperatur	Wetter
Frühjahr	9 °C	viel Regen, …
Sommer		
Herbst		
Winter		

2 Gibt es Wetterrekorde?

kältester Ort	heißester Ort	am meisten Regen/Schnee	trockenster Ort	windigster Ort	…

Können Sie mir sagen, wie ich von hier ans Meer komme?
Ich weiß nicht mal, wo ich gerade herkomme.
Ich habe Handtuch, Badehose, Sonnencreme
aber leider auch ein kleines Problem:
Ich weiß nicht, wo ich bin. Mein Navigator ist hin.

Sie fahren geradeaus, _____ dem Haus *vorbei*.
Dann _____ den Ort _____ zur Bäckerei.
Da fahren Sie dann nach _____ _____ zum ‚Freizeitland'.
Danach _____ den Wald und schon sind Sie _____ Strand.

Wo war denn diese Bäckerei? Ich habe keine gesehen.
Sicher bin ich schon vorbei. So kann's nicht weitergehen!

Hallo, können Sie mir sagen, wie ich von hier ans Meer komme?
Ich weiß nicht mal, wo ich gerade herkomme.
Ich habe Handtuch, Badehose, Sonnencreme,
aber leider auch ein kleines Problem:
Ich weiß nicht, wo ich bin. Mein Navigator ist hin.

Sie fahren jetzt hier _____ die Autobahn.
Nun _____ Golfplatz _____ und so
kommen Sie dann _____ einem Parkplatz, der ist
meistens leer.
Dahinter sehen Sie den Strand und das Meer.

Wo soll denn dieser Golfplatz sein? Ich habe keinen gesehen.
Ich frage lieber noch mal. So kann's nicht weitergehen!

Hallo, können Sie mir sagen, wie ich von hier ans Meer komme?
Ich weiß nicht mal, wo ich gerade herkomme.
Ich habe Handtuch, Badehose, Sonnencreme
aber leider auch ein kleines Problem:
Ich weiß nicht, wo ich bin. Mein Navigator ist hin.

Ich sehe schon: Das hat keinen Sinn.
Ich glaube, ich bringe dich hin.

Hey, wunderbar! Danke sehr!
Wir fahren zusammen ans Meer!

Ans Meer?

▶ 2 17 **1 Ergänzen Sie. Hören Sie dann das Lied und vergleichen Sie.**

am | am ... vorbei | an ... vorbei | bis | bis | durch | in | links | über | zu

▶ 2 17 **2 Gruppenarbeit: Planen Sie eine Pantomime zu dem Lied.**
Hören Sie dann noch einmal und spielen Sie Ihre Pantomime vor.

Wohin gehen wir heute?

Hören/Sprechen:
jemanden überzeugen/
begeistern: *Glaub mir.*
Das ist mal etwas anderes.;
auf Vorschläge zögernd
reagieren: *Und das ist gut?*

Lesen: Veranstaltungskalender

Wortfeld:
Veranstaltungen

Grammatik: lokale
Präpositionen: *Woher? –*
vom/aus dem

▶ 2 18 **1** **Sehen Sie das Foto an und hören Sie.**
Wo ist Sascha und was macht er? Was meinen Sie?

Wo? Theater | Konzerthalle | Bar | Café | ...

Was? spielt Theater | trägt ein Gedicht vor | singt | ...

2 **Welche Veranstaltung haben Sie zuletzt besucht?**
Wie hat sie Ihnen gefallen?

Zuletzt war ich im Kino.
Der Film war ein bisschen langweilig,
aber die Schauspieler waren
ausgezeichnet.

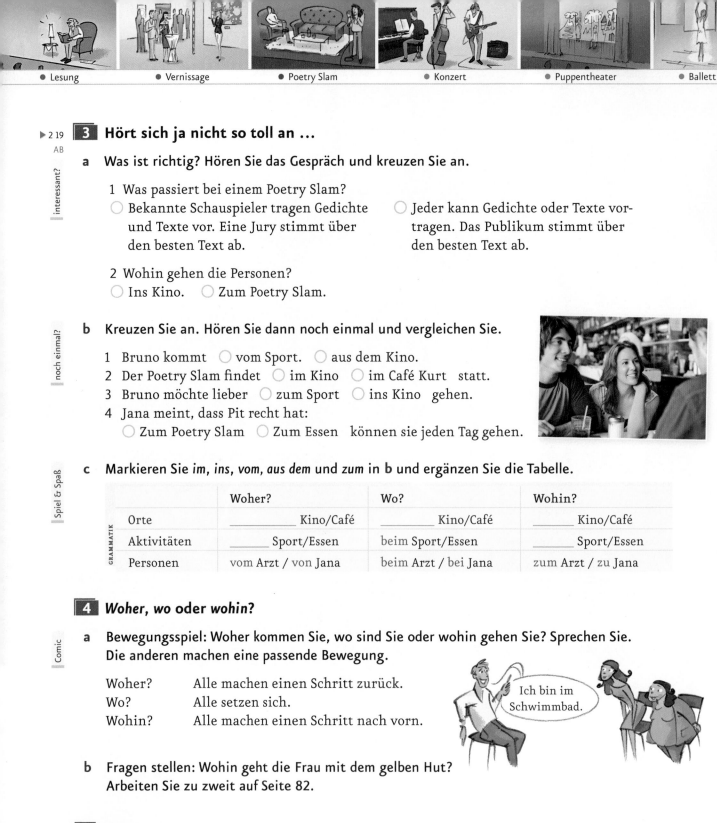

● Lesung   ● Vernissage   ● Poetry Slam   ● Konzert   ● Puppentheater   ● Ballett

▶ 2 19
AB

interessant?

3 **Hört sich ja nicht so toll an ...**

a Was ist richtig? Hören Sie das Gespräch und kreuzen Sie an.

1 Was passiert bei einem Poetry Slam?
  ○ Bekannte Schauspieler tragen Gedichte und Texte vor. Eine Jury stimmt über den besten Text ab.
  ○ Jeder kann Gedichte oder Texte vortragen. Das Publikum stimmt über den besten Text ab.

2 Wohin gehen die Personen?
  ○ Ins Kino.   ○ Zum Poetry Slam.

noch einmal?

b Kreuzen Sie an. Hören Sie dann noch einmal und vergleichen Sie.

1 Bruno kommt ○ vom Sport. ○ aus dem Kino.
2 Der Poetry Slam findet ○ im Kino ○ im Café Kurt statt.
3 Bruno möchte lieber ○ zum Sport ○ ins Kino gehen.
4 Jana meint, dass Pit recht hat:
  ○ Zum Poetry Slam ○ Zum Essen können sie jeden Tag gehen.

Spiel & Spaß

c Markieren Sie *im, ins, vom, aus dem* und *zum* in **b** und ergänzen Sie die Tabelle.

GRAMMATIK		Woher?	Wo?	Wohin?
	Orte	_____ Kino/Café	_____ Kino/Café	_____ Kino/Café
	Aktivitäten	_____ Sport/Essen	beim Sport/Essen	_____ Sport/Essen
	Personen	vom Arzt / von Jana	beim Arzt / bei Jana	zum Arzt / zu Jana

4 ***Woher, wo oder wohin?***

Comic

a Bewegungsspiel: Woher kommen Sie, wo sind Sie oder wohin gehen Sie? Sprechen Sie. Die anderen machen eine passende Bewegung.

Woher?   Alle machen einen Schritt zurück.
Wo?   Alle setzen sich.
Wohin?   Alle machen einen Schritt nach vorn.

Ich bin im Schwimmbad.

b Fragen stellen: Wohin geht die Frau mit dem gelben Hut? Arbeiten Sie zu zweit auf Seite 82.

AB **5** **Veranstaltungen**

Spiel & Spaß

a Sehen Sie ins Bildlexikon und ergänzen Sie. Schreiben Sie dann drei eigene Rätsel für Ihre Partnerin / Ihren Partner.

1 Wenn eine Ausstellung eröffnet wird, dann nennt man das eine _____.
2 Im _____ können Sie Clowns und Artisten sehen.
3 Wenn Sie klassische Musik mögen, ist ein klassisches _____ genau das Richtige für Sie.

b   Lesen Sie das Programm und ergänzen Sie die passenden Veranstaltungen.

Tanzen | Ausstellung | Poetry Slam | Stadtspaziergang | Restaurant | Theater | Konzert

Was? Wo? Wann? – Veranstaltungskalender München

Poetry Slam
Wohin, wenn alles andere
ausverkauft ist? Für den
Poetry Slam im Café Kurt
gibt es noch Karten!
Beginn 21:00 Uhr

_____
Party in der „Roten Sonne".
Der beliebte Club liegt auf der
Partymeile zwischen Stachus
und Sendlinger Tor.
Beginn 23:00 Uhr

_____
Neueröffnung! Lust auf
Italienisch oder Bayerisch?
Warum nicht beides? Bei
Angelo & Vroni gibt es sowohl
Pizza als auch Knödel. Und zur
Einweihung für jeden einen
Aperol Sprizz!

_____
Berühmte Münchner – wo
haben sie gearbeitet und wie
haben sie gelebt? Ein Themen-
Spaziergang. Treffpunkt:
14:00 Uhr am Viktualienmarkt

_____
Letzte Vorstellung:
„Der Prozess" von Kafka
in den Kammerspielen. Das
sollten Sie auf keinen Fall
verpassen!

_____
Jazz: Michael Hornstein spielt
heute ab 21:00 Uhr in der
Piano-Bar.

_____
Verlängert: Kunsthistorikerin
Georgia Huber führt heute noch
einmal durch die Kunsthalle.

AB **6**   **Jemanden überzeugen**

Diktat

a   Ergänzen Sie das Gespräch.

Du hast recht. | Und das ist gut? | Das lohnt sich bestimmt. | Ich habe da einen Vorschlag

■ Wollen wir etwas unternehmen /
zusammen weggehen?

_____ : ...

▲ _____

Na ja. Also, ich weiß nicht.
Das hört sich ja nicht so toll an.
Ist das nicht eher langweilig/
uninteressant/ ...?

■ Glaub mir. Das ist mal etwas anderes/
Neues/Besonderes. / Unsinn! Probier/
Versuch das doch mal. Sieh das
doch positiv/nicht so negativ.
Bist du denn gar nicht neugierig?
_____ Und der Eintritt
ist kostenlos / kostet nur ... Euro.

▲ _____ /

Das ist wahr. / Schon gut. Ein Poetry
Slam/... ist doch/ja wirklich mal etwas
anderes/Neues/Besonderes. Lass uns da
hingehen.

b   Sie möchten etwas unternehmen. Lesen Sie den Veranstaltungskalender in **5b** noch einmal
und wählen Sie eine Veranstaltung. Spielen Sie ein Gespräch. Ihre Partnerin / Ihr Partner
hat keine große Lust. Überzeugen Sie sie/ihn. Verwenden Sie Sätze aus a.

▶ 2 20   **7**   **Wo, woher, wohin?**

a   *Wo, woher* oder *wohin*? Lesen Sie das Gedicht und ergänzen Sie.
Hören Sie dann noch einmal und vergleichen Sie.

_____ warst du so lange?	_____ ist dein Lachen geblieben?
_____ kommst du so spät?	_____ kommt meine Angst?
_____ gehst du schon wieder?	_____ ist unsere Liebe gegangen?
_____ hast du deine Jacke vergessen?	
_____ hast du diese Blumen?	*Wo, woher, wohin?*
_____ hast du den Brief geschickt?	*Oder sollte ich besser fragen: Wer?*

b   Schreiben Sie eine neue Strophe zu dem Gedicht.

Wo _____?
Woher _____?
Wohin _____?

c   Machen Sie einen Poetry Slam im Kurs. Welches Gedicht gefällt Ihnen am besten?
Machen Sie eine Abstimmung.

Audiotraining

Karaoke

GRAMMATIK

Lokale Präpositionen

	Woher?	Wo?	Wohin?
Orte	aus dem Kino/Café	im Kino/Café	ins Kino/Café
Aktivitäten	vom Sport/ Essen	beim Sport/ Essen	zum Sport/ Essen
Personen	vom Arzt / von Jana	beim Arzt / bei Jana	zum Arzt / zu Jana

KOMMUNIKATION

auf Vorschläge zögernd reagieren

Und das ist gut?
Also, ich weiß nicht. Das hört sich ja nicht so toll an.
Ist das nicht eher langweilig/uninteressant/...?

jemanden überzeugen/begeistern

Glaub mir. Das ist mal etwas anderes/Neues/ Besonderes.
Unsinn!
Probier/Versuch das doch mal.
Sieh das doch positiv / nicht so negativ.
Bist du denn gar nicht neugierig?
Das lohnt sich bestimmt.

sich überzeugen lassen

Du hast recht. / Das ist wahr. / Schon gut.
Ein Poetry Slam/... ist doch/ja wirklich mal etwas anderes/Neues/Besonderes.
Lass uns da hingehen.

1 Leseorte: Beantworten Sie die Fragen.

Wo lesen Sie?
Wann / Wie oft lesen Sie?

> Ich lese am liebsten zu Hause in meinem Lieblingssessel, aber das schaffe ich nur selten. Ich habe zu wenig Zeit. Am meisten lese ich im Urlaub.

Sprechen: Interesse/ Desinteresse ausdrücken: *Ich habe großes Interesse daran.*

Lesen: Magazintext

Wortfelder: Presse und Bücher

Grammatik: Präteritum Modalverben: *durfte, konnte, ...*

▸ 2 21 ## 2 Was ist richtig?
Sehen Sie das Foto an, hören Sie und kreuzen Sie an.

a Das Mädchen auf dem Foto heißt Paula.   ○
b Das Mädchen möchte am Rathaus Steglitz aussteigen.   ○
c Das Mädchen steigt nicht an der richtigen Haltestelle aus.   ○

| • Comic | • Roman | • Krimi | • Zeitung | • Zeitschrift | • Gedicht | • Märchen |

AB **3** **Mein Lieblingsbuch aus der Kindheit**

Spiel & Spaß

a Was war das Lieblingsbuch der Personen? Überfliegen Sie die Texte und notieren Sie den passenden Begriff aus dem Bildlexikon.

(A)  (B)  (C)  (D)

_____   _____   _Kinderbuch_   _____

MEIN LIEBLINGSBUCH AUS DER KINDHEIT

Haben Sie als Kind gern gelesen? Selbst wenn nicht – fast jeder hat mindestens ein Kinderbuch, das ihn durch die Kindheit begleitet hat, wie der geliebte Teddy oder die beste Freundin. Wir haben
5 vier Menschen gefragt: Was war Ihr Lieblingsbuch?

(A) **Julius** – „Bringt den Kessel mit dem geschmolzenen Käse!"

Am liebsten habe ich Asterix-Comics gelesen. Obwohl ich eigentlich keine
10 Comics lesen durfte. Also habe ich heimlich unter der Bettdecke ge- lesen. Mit einer Taschenlampe. Erst Jahre später hat meine Mutter auch mal ein Asterix- heft gelesen. Sie hat gelacht und musste zugeben,
15 dass das auch Literatur ist. Auf jeden Fall habe ich mit Asterix viel gelernt. Sogar Latein hat mir plötzlich Spaß gemacht. Ich kann allen Eltern nur raten: Egal, was Ihr Kind liest, Hauptsache, es liest. Am besten ist der 16. Band der Comic-Reihe, Asterix bei den
20 Schweizern. Noch heute wird bei jedem Käsefondue daraus zitiert.

(B) **Anton** – „Das elektrische Rotkäppchen"

Als ich noch nicht selber lesen konn-
25 te, habe ich mir gerne Bilderbücher angeschaut. Mein Lieblingsbuch war das Märchenbuch von Janosch. Mein Vater musste mir das ganz oft vorlesen. Jeden Abend. Bis er nicht mehr mochte und mir das Hör-
30 buch gekauft hat. Janosch hat die alten Märchen verändert. Zum Beispiel gibt es da ein elektrisches Rotkäppchen. Das ist total lustig.

Lucy – „Wir seien König Kumi-Ori das Zweit!" (C)

35 Ich habe alle Bücher von Christine Nöstlinger gelesen. Sie ist eine österreichische Autorin. Eines ihrer besten Kinderbücher ist der Gurken- könig. Die Geschichte bringt mich
40 mit 24 Jahren immer noch zum Lachen, wie damals! Der Gurkenkönig ist ein seltsames Kartoffelwesen. Er kommt aus dem Keller und zieht bei Familie Hogelmann ein. Er gibt dauernd Befehle und lässt sich bedienen. Außerdem spricht er mit völlig fal-
45 scher Grammatik. Typische Mädchenbücher über Liebe oder Pferde mochte ich gar nicht. Aber meine kleine Schwester findet sie super. Heute lese ich gerne Krimis.

Anita – „Heidi – deine Welt (D)
50 sind die Berge!"

Oh, ich habe so gern gelesen! Mit meinen Büchern wollte ich dem langweiligen Schulalltag ent- kommen. Ich habe eigentlich alles
55 gelesen. Gedichte, Kurzgeschichten, ja sogar Sach- bücher und die Zeitung von meinem Vater. Manch- mal habe ich nur die Hälfte verstanden. Nur Schul- bücher habe ich nicht gerne gelesen. Auch wenn ich die lesen sollte. Mein Lieblingsbuch? Am liebsten
60 mochte ich Heidi. Das ist ein Roman von Johanna Spyri. Der wurde ja später oft verfilmt und ist auf der ganzen Welt bekannt. Wegen Heidi gehe ich noch heute gerne in die Berge. Ich habe das Buch bestimmt 10-mal gelesen. Und natürlich war ich in
65 den „Geißenpeter" verliebt!

b Zu wem passen die Aussagen? Lesen Sie die Texte noch einmal und notieren Sie die Namen.

1 Auch Comics gehören zur Literatur. _____
2 Moderne Märchen gefallen mir sehr gut. _____
3 Die Berge erinnern mich noch heute an mein Lieblingsbuch. _____
4 Ich habe viel Neues erfahren. _Julius_
5 Wenn mir niemand vorgelesen hat, habe ich auch Hörbücher gehört. _____
6 Gut gefallen mir fantastische Geschichten mit Fantasiewesen. _____
7 Ich habe sehr viel gelesen, weil es in der Schule so langweilig war. _____
8 Typische Bücher für Mädchen waren mir zu langweilig. _____

AB **4** **Am liebsten mochte ich Heidi.**

a Ergänzen Sie die passenden Modalverben
im Präteritum. Hilfe finden Sie in der Tabelle
und in den Texten in **3a**.

1 Julius hat heimlich unter der Bettdecke
Comics gelesen, weil er sie als Kind nicht
lesen _durfte_.
2 Antons Lieblingsbuch war das Märchenbuch von
Janosch. Das _____ sein Vater ihm vorlesen.
3 Anita _____ mit ihren Büchern den langweiligen Schulalltag vergessen.
4 Schulbücher haben ihr nicht gefallen. Auch wenn sie die lesen _____.

		Präsens (jetzt)	Präteritum (früher)
		darf	durfte
		muss	musste
ich er/sie		kann	konnte
		mag	mochte
		will	wollte
		soll	sollte

GRAMMATIK

b Aktivitäten-Bingo: Wer durfte/konnte/... was als Kind? Arbeiten Sie auf Seite 83.

AB **5** **Was lesen Sie heute gern?**

a Welche Sätze passen? Machen Sie eine Tabelle.

Na ja, es geht. | Nein, lieber ... | Ja, und wie! | ~~Nicht so.~~ |
Das interessiert mich sehr. | Das interessiert mich
überhaupt nicht. | Nicht besonders. | Nein, ... finde ich
ehrlich gesagt langweilig. | Doch, ich habe großes Interesse
daran. | Sicher! Ich liebe ... | Ratgeber/... finde ich furchtbar.

KOMMUNIKATION

Liest du gern Romane/...? /
Interessierst du dich für ...?
Interessiert dich das denn nicht? /
Hast du überhaupt kein
Interesse daran?

Nicht so.

b Ergänzen Sie den Fragebogen und fragen Sie dann Ihre Partnerin / Ihren Partner.

	Roman	Krimi	Comic	Sachbuch/ Ratgeber	Zeitung	Zeitschrift
Was interessiert Sie?	☺					
Wann? / Wie oft?	jeden Abend					
Wo?	im Bett					

■ Liest du gern Krimis?
● Na ja, es geht. Am liebsten lese ich Romane.

AB **6 Mein Buchtipp**

a Welches Buch möchten Sie empfehlen? Machen Sie Notizen.

> spannend: konnte die ganze Nacht nicht schlafen | praktisch: konnte damit super abnehmen |
> romantisch: musste weinen | lustig: habe viel gelacht | interessant: habe viel über … gelernt/
> erfahren | traurig: … | …

> Titel: Small World
> Autor: Martin Suter
> Genre: Roman
> Warum?: spannend: konnte die ganze Nacht nicht schlafen;
>   interessant: Man erfährt viel über die Krankheit Alzheimer.

b Schreiben Sie nun eine Empfehlung und machen Sie eine Ausstellung im Kurs.

c Welche Bücher würden Sie gern lesen? Lesen Sie die Buchtipps der anderen Teilnehmer und wählen Sie drei Bücher.

> Ich möchte euch den Roman „Small World" von Martin Suter empfehlen. Der Roman ist sehr spannend und wirklich interessant, denn man erfährt auch viel über die Krankheit Alzheimer. Es gibt auch einen Film zu dem Buch. Gerard Depardieu spielt die Hauptrolle. Der Film hat mir auch sehr gut gefallen.

GRAMMATIK

Modalverben: Präteritum

	können	wollen	sollen
ich	konnte	wollte	sollte
du	konntest	wolltest	solltest
er/es/sie	konnte	wollte	sollte
wir	konnten	wollten	sollten
ihr	konntet	wolltet	solltet
sie/Sie	konnten	wollten	sollten

	dürfen	müssen	mögen
ich	durfte	musste	mochte
du	durftest	musstest	mochtest
er/es/sie	durfte	musste	mochte
wir	durften	mussten	mochten
ihr	durftet	musstet	mochtet
sie/Sie	durften	mussten	mochten

KOMMUNIKATION

Interesse/Desinteresse ausdrücken

Liest du gern Romane/…?
Interessierst du dich für …?
Interessiert dich das denn nicht?
Hast du überhaupt kein Interesse daran?

Ja, und wie!
Das interessiert mich sehr.
Doch, ich habe großes Interesse daran.

Na ja, es geht.
Nicht so.
Nicht besonders.

Nein, lieber …
Das interessiert mich überhaupt nicht.
Nein, … finde ich ehrlich gesagt langweilig.

1 Das darf doch alles nicht wahr sein!

a Sehen Sie das Foto an. Was meinen Sie? Was ist hier passiert?
Wen ruft Herr Abelein an?

Was? Einbruch | Autounfall | ...

Wen? Ehefrau | Polizei | Feuerwehr |
Notarzt | Versicherung | ...

> Vielleicht hatte Herr Abelein
> einen Autounfall und ruft bei
> seiner Versicherung an.

▶ 2 22 **b** Hören und vergleichen Sie. Waren Ihre Vermutungen in a richtig?

2 Ist Ihnen so etwas auch schon einmal passiert? Erzählen Sie.

> Ja. Ich war im Urlaub in ...
> Jemand hat unser Auto aufge-
> brochen und meine Kamera
> gestohlen.

Sprechen: um einen
Bericht / eine Beschrei-
bung bitten: *Wo waren
Sie?*; etwas berichten/
beschreiben: *Daran
kann ich mich nicht mehr
erinnern.*

Lesen: Flyer

Wortfeld: Dokumente

Grammatik: Frageartikel
welch-; Demonstrativpronomen: *dies-, der, das, die*;
Verb *lassen*

| • EC-Karte | • Ausweis | • Bargeld | • Führerschein |

3 **Welche Dokumente haben Sie dabei?**

Sehen Sie das Bildlexikon zwei Minuten lang an. Schließen Sie dann das Buch.
Ihre Kursleiterin / Ihr Kursleiter nennt ein Dokument. Haben Sie es dabei?
Dann stehen Sie auf.

▶ 2 23

4 **Stimmen diese Angaben?**

AB

a Hören Sie das Gespräch und beantworten Sie die Fragen.

1 Wo ist Herr Abelein?
2 Hat Herr Abelein den Täter gesehen?
3 Was hat der Täter gestohlen?

b Ordnen Sie zu. Hören Sie noch einmal und vergleichen Sie dann.

1 Herr Abelein hatte seine Jacke in der Wohnung vergessen	die Geldbörse gestohlen und ist weggelaufen.
2 Er hat seine Geldbörse in das Auto gelegt	Herrn Abelein ein paar Fotos.
3 Als er wieder unten war,	und kann der Polizistin sagen, wer es war.
4 Der Mann hat die Autoscheibe eingeschlagen,	hatte ein schmales Gesicht und dunkle Haare.
5 Der Mann war ungefähr 1,80 m groß,	und wollte sie holen.
6 In dem Geldbeutel waren	und das Auto abgesperrt.
7 Zum Schluss zeigt die Polizistin	hat er einen Mann mit einem Hammer gesehen.
8 Herr Abelein erkennt den Täter wieder	240 Euro in bar, zwei EC-Karten und eine Kreditkarte.

c Lesen Sie den Gesprächsausschnitt, markieren Sie *welch-* und *dies-*, *der* und *den* und ergänzen Sie die Tabelle.

■ Oh ja! Ich glaube, der da war es!
● Welcher denn? Der?
■ Nein, dieser da.
● Welchen meinen Sie? Nummer 4?
■ Ja, genau, den meine ich. Der war's.

① ② ③ ④

Nominativ	Akkusativ
● _____ ? – _____ / _____ /hier.	_____ ? – Diesen / _____ da/hier.
● Welches? – Dieses/Das da/hier.	
● Welche? – Diese/Die da/hier.	
● Welche? – Diese/Die da/hier.	

5 **Alibi-Spiel: Arbeiten Sie auf Seite 84.**

| ● Gesundheitskarte | ● Kundenkarte | ● Telefonkarte | ● Kreditkarte |

AB **6 Gute Tipps**

a Was sollten Sie vor bzw. nach einem Einbruch machen? Überfliegen Sie den Flyer und notieren Sie die Nummern.

Vor einem Einbruch: Tipp _____ bis Tipp _____
Nach einem Einbruch: Tipp _____ bis Tipp _____

PRIMA TIPPS,

WIE SIE EINBRECHERN DAS LEBEN SCHWER MACHEN KÖNNEN:

1 Machen Sie eine Liste von allen Wert-gegenständen in der Wohnung!

2 Lassen Sie ein Sicherheitsschloss in Ihre Wohnungstür einbauen!

3 Schließen Sie immer gut ab, wenn Sie nicht zu Hause sind!

4 Legen Sie Ihren Wohnungsschlüssel nie unter die Fußmatte!

5 Lassen Sie in Erdgeschosswohnungen alle Fenster sichern!

6 Lassen Sie Ihren Briefkasten vom Nach-barn leeren, wenn Sie länger weg sind!

7 Wenn es trotzdem zu einem Einbruch kommt, rufen Sie die Polizei.

8 Fassen Sie nichts an! Vielleicht gibt es Fingerabdrücke von den Tätern.

9 Sind EC- oder Kreditkarten weg? Lassen Sie sie sofort sperren!

10 Lassen Sie nach dem Einbruch kaputte Fenster und Türen sofort reparieren!

b Lesen Sie die Tipps noch einmal. Was machen Sie auch? Markieren Sie.
Haben Sie noch andere Tipps? Notieren Sie. Sprechen Sie dann in Kleingruppen.

Meine Tipps:
abends brennt Licht,
wenn ich in Urlaub
bin, ...

■ Ich habe eine Liste mit Wertgegenständen.
● Echt? Die habe ich nicht. Aber das ist eine gute Idee.
▲ Meine Fenster haben ein Sicherheitsschloss.
■ Meine nicht, aber ich wohne auch nicht im Erdgeschoss. Aber wenn ich in Urlaub bin, brennt abends das Licht.

Spiel & Spaß

c Was ist richtig? Lesen Sie Tipp 6 noch einmal und kreuzen Sie an.

GRAMMATIK	Das mache ich selbst.	Das machen andere für mich.
Ich leere meinen Briefkasten.	○	○
Ich lasse meinen Briefkasten leeren.	○	○

GRAMMATIK	
ich	lasse
du	lässt
er/sie	lässt

AB **7 Kartenspiel: Meinen Anzug muss ich ändern lassen.**
Arbeiten Sie zu viert auf Seite 85.

AB **8** **Tausch-Börse**

a Was würden Sie gern von anderen machen lassen? Notieren Sie drei Tätigkeiten.

Das würde ich gern machen lassen:	Das biete ich an:	Meine Tauschpartner:
Babysitten	kochen	Claudette
Hemden bügeln	...	

b Wer kann das für Sie machen? Und was machen Sie dafür? Suchen Sie Personen im Kurs und notieren Sie die Namen. Wer findet in fünf Minuten die meisten Tauschpartner?

- ■ Claudette, ich suche einen Babysitter. Könntest du das machen?
- ● Ja, klar. Das mache ich gern für dich. Könntest du dafür mein Fahrrad reparieren? Das würde ich gern reparieren lassen.
- ■ Tut mir leid, aber das kann ich nicht so gut. Ich könnte dir etwas kochen. Ich koche sowieso jeden Tag.
- ● Das klingt gut. Ich koche gar nicht gern.

GRAMMATIK

Frageartikel *welch-?* – Demonstrativpronomen *dieser, der*

Nominativ		Akkusativ		Dativ	
● Welcher?	Dieser. / Der da.	Welchen?	Diesen. / Den da.	Welchem?	Diesem. / Dem da.
● Welches?	Dieses. / Das hier.	Welches?	Dieses. / Das hier.	Welchem?	Diesem. / Dem hier.
● Welche?	Diese. / Die da.	Welche?	Diese. / Die da.	Welcher?	Dieser. / Der da.
● Welche?	Diese. / Die dort.	Welche?	Diese. / Die dort.	Welchen?	Diesen. / Denen dort.

Verb *lassen*

ich	lasse
du	lässt
er/es/sie	lässt
wir	lassen
ihr	lasst
sie/Sie	lassen
Ich lasse meinen Briefkasten leeren.	

KOMMUNIKATION

um einen Bericht / eine Beschreibung bitten

Wo waren Sie?
Was haben Sie gemacht?
Gibt es dafür Zeugen?
Können Sie das/ihn/sie näher beschreiben?
Worüber haben Sie gesprochen?
Erzählen Sie doch mal!

etwas berichten/beschreiben

Wir haben über ... gesprochen.
Ich kann dazu nur sagen, dass ...
Daran kann ich mich nicht mehr erinnern.

Vier Menschen –
vier Meinungen

Zelluloid

Der neue *James Bond* ist angelaufen. Endlich! Wie kommt er beim Publikum an? Wir vom Filmmagazin *Zelluloid* wollen es genau wissen und fragen vier Leute nach dem Kinobesuch.

Zelluloid: Und, wie hat Ihnen der neue *James Bond* gefallen?

5 Christian: Supergut! Wie jeder *James Bond.* Aber dieser hier ist einer der besten überhaupt. Und ich kenne sie alle! Ich bin nämlich ein großer *James Bond*-Fan. Wenn ein neuer *James Bond*
10 ins Kino kommt, sehe ich ihn mir sofort an. In einem *James Bond* steckt einfach alles drin: Humor, Action und Spannung. Diesmal konnte ich sogar meine Freundin überreden. Dabei mag sie Actionfilme nicht so gern, weil sie ein bisschen
15 ängstlich ist. Bis jetzt musste ich meistens mit ihr in Liebesfilme gehen. Beim letzten Liebesfilm musste sie sogar weinen!

Nina *(lacht):* Ja, das stimmt. Als wir das letzte Mal im Kino waren, durfte ich
20 den Film auswählen. Christian musste mit mir in einen Liebesfilm mit furchtbar tragischem Ende gehen. Dafür durfte er dieses Mal entscheiden. Aber ich muss sagen: Der Kinobesuch hat sich zum Glück ge-
25 lohnt. Der Film hat mir ausgezeichnet gefallen! Christian hat recht: *James Bond* ist wirklich cool!

Zelluloid: Und wie hat Ihnen der Film gefallen?

Rike: Mir? Ehrlich gesagt – überhaupt nicht! Heute Morgen habe ich in der
30 Zeitung gelesen, um was es geht. Die Geschichte fand ich interessant und ich habe spontan beschlossen: Da gehe ich hin! Aber von der Geschichte bleibt nicht viel übrig. Es wird einfach zu viel herumgebal-
35 lert und ständig fliegt ein Auto durch die Luft. Sicher, es ist ein Actionfilm. Aber was dieser *James Bond* alles überlebt! Das finde ich albern. So ein Quatsch!

Jörg: Na ja. Ganz so schlimm ist es
40 nicht. Ich sehe mir sonst auch lieber kleine, leise Filme an. In den *James Bond* bin ich nur gegangen, weil meine Enkel unbedingt wollten. Als ich so alt war wie sie, war James Bond für mich
45 schließlich auch der Coolste. *Mein* James Bond war Sean Connery. Und der meiner Kinder Roger Moore. Die *James Bond*-Filme verbinden die Generationen. Das finde ich gut!

1 Wer sagt was? Lesen Sie und kreuzen Sie an.

	CHRISTIAN	NINA	RIKE	JÖRG
a Der Film hat eigentlich eine interessante Story.	○	○	○	○
b Für mich gibt es nichts Besseres als *James Bond*-Filme.	○	○	○	○
c Als Kind war ich ein großer *James Bond*-Fan.	○	○	○	○
d Mein Freund hat den Film ausgesucht, aber ich fand ihn ziemlich gut.	○	○	○	○
e Der neue *James Bond* ist besonders toll.	○	○	○	○
f *James Bond*-Filme sind etwas für die ganze Familie.	○	○	○	○

2 Und Sie? Kennen Sie *James Bond*-Filme und wie gefallen sie Ihnen? Erzählen Sie.

1 Ein romantisches Wochenende

Sie planen ein romantisches Wochenende. Wie würden Sie verreisen und wohin würden Sie fahren? Erzählen Sie.

in die Berge | ans Meer | aufs Land | auf eine Insel | nach Paris | ...

▶ Clip 7   **2**   **In der Werkstatt**

a   Was ist richtig? Sehen Sie den Film und kreuzen Sie an.

    1   Max besucht Christian an seinem Arbeitsplatz.   ◯
    2   Max möchte Melanie zum Hochzeitstag überraschen.   ◯
    3   Max braucht einen Rat.   ◯

b   Ordnen Sie zu. Sehen Sie dann den ersten Teil des Films (bis 2:21) noch einmal und vergleichen Sie. Nicht alle Lösungen passen.

Küchenschrank | alte | schnelle | Firma | Hobby | Schreiner | neue | langsame | Mechatroniker | Kleiderschrank | Beruf | Werkstatt

    1   Christian interessiert sich für _____ Autos.
    2   Max gefallen _____ Autos.
    3   Autos reparieren ist Christians _____.
    4   Christian ist Versicherungsberater von _____.
    5   Max ist _____ von Beruf.
    6   Er hat eine eigene _____.
    7   Seine Abschlussarbeit war ein _____.

▶ Clip 7   **3**   **Christians Tipp**

a   Was ist richtig? Kreuzen Sie an. Sehen Sie dann den zweiten Teil des Films (ab 3:08) noch einmal und vergleichen Sie.

    1   Christian erzählt von einer wunderschönen ◯ Autofahrt ◯ Radtour   in die Berge.
    2   ◯ In der Schweiz ◯ In Österreich   waren Christian und Lena in einer tollen Pension.
    3   Der Besitzer kam aus ◯ Hamburg. ◯ München.
    4   Für das nächste Wochenende hat das Hotel
       ◯ leider kein Zimmer mehr frei. ◯ zum Glück noch ein Zimmer frei.

b   Wie geht die Geschichte weiter? Was meinen Sie?

1 **Was ist richtig? Lesen Sie den Text und kreuzen Sie an.**
Korrigieren Sie dann die falschen Sätze.

LESEN MACHT KLUG!

Wer liest, ist klüger und erfolgreicher in der Schule. Die Freude an Büchern beginnt mit dem Vorlesen in der Kindheit. Es macht Lust auf Lesen und Lernen, ist gut für die Konzen-
5 tration und die Intelligenz, fördert die Sprachentwicklung und die Kreativität. Trotzdem wird zu wenig vorgelesen und viele Kinder in Deutschland wachsen ohne Bücher auf. Dagegen möchten Vorlese-Initiativen etwas unter-
10 nehmen, die *Lesewelt Hamburg e.V.* zum Beispiel. Der Verein organisiert wöchentliche Vorlese-Nachmittage für Kinder von vier bis zehn Jahren an verschiedenen Orten in Hamburg. Mehr als 70 ehrenamtliche Vorleser und

15 Vorleserinnen arbeiten für den Verein und lesen den Kindern vor. Ehrenamtlich bedeutet: Man bekommt für seine Arbeit kein Geld. Der Eintritt zu den Vorlese-Nachmittagen ist natürlich frei und so besuchen 3000 Kinder jedes Jahr
20 diese Lesungen.

	richtig	falsch
a Vorlesen ist wichtig für Kinder.	○	○
b In Deutschland wird genug vorgelesen.	○	○
c Der Verein *Lesewelt Hamburg* macht monatliche Lesungen für Kinder.	○	○
d Er hat mehr als 70 Angestellte.	○	○
e Die Vorlese-Nachmittage sind kostenlos.	○	○

2 **Ehrenamtliche Projekte in Ihrem Heimatland / einem Land Ihrer Wahl**

a Recherchieren Sie und machen Sie Notizen zu den Fragen.

1 Was für ein Projekt ist das?

_____

2 Was machen die Mitarbeiter in dem Projekt?

_____

3 Würden Sie bei dem Projekt mitarbeiten? Warum / Warum nicht?

_____

b Schreiben Sie einen kurzen Text und präsentieren Sie Ihr Projekt im Kurs.

HERR KRAUS MUSSTE RAUS

Herr Kraus musste raus, Frau Klein konnte nicht rein,

Herr Munther sollte runter und Frau Stauff wollte nicht rauf.

Nur der Herr Klar durfte bleiben, wo er war.

. . . .

Frau Hein musste _____,   Herr Bach konnte nur _____,

Frau Lingen sollte _____   und Herr Möhr wollte nicht _____.

Nur die Frau Nolte durfte machen, was sie wollte.

. . . .

Herr Klos musste los, Frau Marten konnte nicht warten,

Herr Klarwein sollte schon da sein und Frau Behn wollte jetzt gehen.

Nur der Herr Eiben durfte liegen bleiben.

. . . .

Frau Rasch musste _____,   Herr Pocher konnte _____,

Frau Hacker sollte _____   und Herr Lutz wollte _____.

Nur die Frau Schön durfte schon nach Hause gehen.

▶ 2 24   **1 Was mussten/konnten/sollten/wollten die Personen?**
Sehen Sie die Zeichnungen an und ergänzen Sie. Hören Sie dann und vergleichen Sie.

▶ 2 24   **2 Hören Sie das Lied noch einmal und singen Sie mit.**

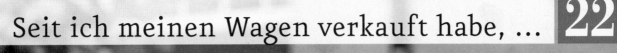

▶ 2 25
1 In der Stadt unterwegs

a Sehen Sie das Foto an, hören Sie und beantworten Sie die Fragen.

Wo ist Frau Radic?
Wohin will sie?
Wen ruft sie an?

Frau Radic ist am Bahnhof.
Sie ...

b Was meinen Sie? Was für eine Karte hat Frau Radic in der Hand?

Sprechen: etwas erklären: *Das ist ganz einfach.*
Zuerst müssen Sie ...

Lesen: Anleitungen

Wortfelder: Internet/
Online-Anmeldungen

Grammatik: Konjunk-
tionen *bis, seit(dem)*

anmelden/● Anmeldung   anklicken   einloggen   ● Benutzername   ● Passwort

AB **2** **Carsharing – eine sinnvolle Alternative?**

▶ 2 26   **a**   Welcher Podcast passt? Hören Sie den Anfang der Radiosendung und kreuzen Sie an.

> Radio **D** – Podcast-Service
>
> Heute: Carsharing* wird immer beliebter.
>
> ○ Wir haben Carsharing-Nutzer gefragt: Warum brauchen Sie kein eigenes Auto?
>
> ○ Wo können Sie Mitglied werden? Verschiedene Carsharing-Organisationen stellen sich vor.
>
> * man besitzt kein eigenes Auto, man teilt eines mit anderen

▶ 2 27   **b**   Zu wem passen die Aussagen? Hören Sie die Sendung weiter und notieren Sie: Dana Radic (DR), Carola Böck (CB), Ingo Friedrich (IF), der Radiomoderator (RM).

1 Die Person meint, dass man ohne Auto Geld sparen kann, weil man z.B. keine Kfz-Steuern bezahlen muss. IF

2 Die Person braucht circa einmal pro Woche ein Auto: zum Einkaufen und für Besuche bei einer Freundin. Die Freundin wohnt etwas außerhalb. Man kann sie mit öffentlichen Verkehrsmitteln nicht gut erreichen. ____

3 Carsharing lohnt sich, wenn man höchstens 5000 Kilometer pro Jahr fährt. ____

4 Die Person muss beruflich viel reisen und nutzt dabei viele verschiedene Verkehrsmittel. So ist sie flexibel und reist auch preiswert und umweltfreundlich. ____

▶ 2 27   **c**   Ordnen Sie zu. Hören Sie dann noch einmal und vergleichen Sie.

1 Seit meine Freundin am Stadtrand wohnt,   bis die meisten Geschäftsleute so reisen.

     seitdem ich als Firmenberaterin arbeite.

2 Ich hatte ein eigenes Auto,   fahre ich immer mit dem Auto zu ihr.

3 Bis man einen Parkplatz findet,   ist man mit dem Fahrrad schon lange am Ziel.

4 Ich bin sehr viel unterwegs,

5 Ich glaube, es dauert nicht mehr lange,   bis ich gemerkt habe: Das lohnt sich nicht.

AB **3** **Seitdem ich als Firmenberaterin arbeite, ...**

a   Ergänzen Sie *seit/seitdem* oder *bis* und vergleichen Sie dann mit Übung 2c.

Nebensatz	Hauptsatz
_____ meine Freundin dort wohnt,	fahre ich immer mit dem Auto zu ihr.
_____ man einen Parkplatz findet,	ist man mit dem Fahrrad schon lange am Ziel.
Hauptsatz	**Nebensatz**
Ich hatte ein eigenes Auto,	_____ ich gemerkt habe: Das lohnt sich nicht.
Ich bin sehr viel unterwegs,	_____ ich als Firmenberaterin arbeite.

b   Seitdem wir auf dem Land wohnen, ...

Arbeiten Sie auf Seite 86. Ihre Partnerin / Ihr Partner arbeitet auf Seite 89.

(Randnotizen: noch einmal? / Spiel & Spaß / GRAMMATIK)

22

4 **Und so einfach geht's.**

a Lesen Sie die Anleitung und sortieren Sie. Hilfe finden Sie im Bildlexikon.

Und so einfach geht's:

○ Das Fahrzeug zurückbringen und mit der Chipkarte abschließen.

○ Einmal mit Ihrem Führerschein und dem Vertrag zur Filiale kommen und Ihre Chipkarte abholen.

① Online bei MC anmelden.

○ Ein Fahrzeug in Ihrer Nähe wählen und mieten.

○ Losfahren.

○ Zweimal den Vertrag ausdrucken.

○ Sich mit Ihren Zugangsdaten bei MC einloggen.

○ Das Fahrzeug mit Ihrer Chipkarte öffnen.

MC **MobilCity**
mein Carsharing

• an jedem Tag
• rund um die Uhr
• in über 100 Städten

b Vergleichen Sie Ihr Ergebnis aus a mit Ihrer Partnerin / Ihrem Partner.

■ Zuerst muss man sich online bei MC anmelden.

▲ Ja, und danach soll man den Vertrag zweimal ausdrucken. Dann …

AB **5** **Ein Handy-Ticket buchen**

a Ergänzen Sie die Verben.

anklicken | bestätigen | eingeben | heruntergeladen | ~~öffnen~~ | wählen

1 m.bahn.de _öffnen_____

2 Auskunft und Buchung _____

3 Verbindung _____ und Ticket/Reservierung _____

4 Benutzername und Passwort _____

5 Fahrkarte wird auf Ihr Handy _____

b Sie möchten ein Handy-Ticket buchen. Spielen Sie Gespräche.

Wie geht das? Können Sie mir das erklären? Können Sie mir sagen, wie das funktioniert?

Kein Problem! Gern. / Na klar! Das ist ganz einfach. Zuerst müssen Sie … Dann/Danach/Und dann … Zuletzt müssen Sie …

■ Ich möchte ein Ticket mit dem Handy buchen. Wie geht das?

▲ Das ist ganz einfach. Zuerst musst du die Seite m.bahn.de öffnen. Dann musst du …

c Was haben Sie zuletzt im Internet bestellt/gebucht? Erzählen Sie.

AB **6** **Welche Verkehrsmittel nutzen Sie? Interviewen Sie Ihre Partnerin / Ihren Partner.**

	zur Arbeit		für Einkäufe		in der Freizeit	
	Sommer	Winter	Sommer	Winter	Sommer	Winter
Auto					X	
Bus/U-/S-Bahn, …	Bus (bei Regen)	X				
Fahrrad	X		X	X	X	
Motorrad/Mofa						
zu Fuß			X	X	X	
Zug						
Flugzeug						
andere Verkehrs-mittel						

- Mit welchen Verkehrsmitteln fährst du im Sommer normalerweise zur Arbeit?
- ▲ Im Sommer fahre ich meistens mit dem Fahrrad zur Arbeit. Nur wenn es stark regnet, nehme ich den Bus.
- Welche Verkehrsmittel nutzt du für Einkäufe?
- ▲ Das mache ich zu Fuß oder mit dem Fahrrad.
- Welche Verkehrsmittel nutzt du in der Freizeit?
- ▲ Wenn ich …, dann …

GRAMMATIK

Konjunktionen *bis, seit(dem)*	
Nebensatz	**Hauptsatz**
Seit(dem) sie dort wohnt,	fahre ich immer mit dem Auto zu ihr.
Bis man einen Park-platz findet,	ist man mit dem Fahrrad schon lange am Ziel.
Hauptsatz	**Nebensatz**
Ich hatte ein eigenes Auto,	bis ich gemerkt habe: Das lohnt sich nicht.
Ich bin sehr viel unterwegs,	seit(dem) ich als Firmen-beraterin arbeite.

KOMMUNIKATION

etwas erklären	
Wie geht das? Können Sie mir das erklären? Können Sie mir sagen, wie das funktioniert?	Kein Problem! Gern. / Na klar! Das ist ganz einfach. Zuerst müssen Sie … Dann/Danach/Und dann … Zuletzt müssen Sie …

Sprechen: Zufriedenheit/Unzufriedenheit ausdrücken: *Ich bin sehr zufrieden damit.*

Lesen: Klappentext

Wortfelder: Schule und Ausbildung

Grammatik: Relativpronomen und Relativsatz im Nominativ und Akkusativ: *Das ist das Buch, das mein Sohn gelesen hat.*

▶ 2 28 **1** **Sehen Sie das Foto an, hören Sie und beantworten Sie die Fragen. Was meinen Sie?**

Wie geht es dem Mann?
Warum?

Ich glaube, dass der Mann zufrieden ist. Vielleicht ist Gartenarbeit sein Hobby und er freut sich, dass …

2 **Welche Tätigkeit macht Sie glücklich? Erzählen Sie.**

Ich bin glücklich, wenn ich segeln gehen kann.

- Schule
- Note
- Zeugnis
- mündliche • Prüfung
- schriftliche • Prüfung
- Schulabschluss

AB **3** **Liebe die Arbeit, die du machst!**

a Was ist richtig? Überfliegen Sie den Text und kreuzen Sie an.

1 Mark Brügge ○ empfiehlt das Buch. ○ ist der Autor.
2 Das Buch beantwortet Fragen zum Thema:
○ Wie finde ich einen Beruf, der zu mir passt? ○ Wie bewerbe ich mich richtig?

„Jeder junge Mensch, der von der Schule kommt, sollte dieses Buch lesen. Aber auch Leute, die mit ihrer Ausbildung oder ihrem Beruf unzufrieden sind, werden es mit großem Gewinn lesen."

SÜDDEUTSCHER MERKUR

Ein sehr empfehlenswertes Buch für ALLE Jugendlichen, die vor dem Schulabschluss stehen.

RHEIN-MAIN-BOTE

Ein Mensch, der nicht weiß, was er will – so einer war auch Mark Brügge. Nach dem Abitur hat er ein Medizinstudium angefangen, hat schon nach einem Semester wieder aufgehört, hat eine Lehre als Elektroinstallateur
5 begonnen und ist drei Monate nach Ausbildungsbeginn an die Universität zurückgegangen. Aber auch das Jurastudium war ‚nicht sein Ding', also hat er wieder etwas Neues ausprobiert, bis er irgendwann sicher war: „Den Beruf, der zu mir passt, finde ich nie." Doch dann trifft er einen
10 alten Mann, der schon 40 Jahre als Schreiner arbeitet, und der ihm einen wichtigen Rat gibt: „Vergiss all die Jobs, die du machen könntest und liebe die Arbeit, die du machst." Mark Brügge hat auf den alten Mann gehört und ist nun schon seit vielen Jahren ein zufriedener Landschaftsgärtner.
15 Für junge Leute, die heute von der Schule kommen und nicht wissen, welche Ausbildung sie machen sollen, hat Mark Brügge dieses Buch geschrieben. Es heißt „Liebe die Arbeit, die du machst!" und ist voll mit guten Tipps, wie man Probleme bei der Berufswahl und in der Ausbildung
20 lösen kann.

b Lesen Sie noch einmal und kreuzen Sie an.

	richtig	falsch
1 Nach dem Abitur hat Mark Brügge ein Semester Medizin studiert.	○	○
2 Danach hat er eine Lehre als Elektroinstallateur abgeschlossen.	○	○
3 Das Jurastudium hat ihm besonders gut gefallen.	○	○
4 Mark Brügge hat auch ein paar Jahre als Schreiner gearbeitet.	○	○
5 Heute ist er Landschaftsgärtner und liebt seine Arbeit.	○	○
6 Das Buch soll jungen Menschen bei der Berufswahl helfen.	○	○

c Würden Sie das Buch lesen? Warum / Warum nicht?

Ich würde das Buch nicht lesen.
Ich mag keine Ratgeber.

Beruf

● Ausbildung/● Lehre   ● Studium   ● Universität   ● Semester   ● Lebenslauf   ● Bewerbung

23

AB

Spiel & Spaß

4 Ein Mensch, der nicht weiß, was er will.

a Ergänzen Sie. Hilfe finden Sie im Text in **3a**.

GRAMMATIK

	Nominativ	Akkusativ
● Das ist ein Mensch,	_____ nicht weiß, was er will.	**!** den ich mag.
● Das ist das Buch,	das so empfehlenswert ist.	das …
● Das ist die Arbeit,	die zu mir passt.	die …
● Das Buch ist für alle Jugendlichen,	_____ vor dem Abschluss stehen.	die …

Comic

b Relativsätze üben: Das ist der Kollege, der …
Arbeiten Sie auf Seite 87. Ihre Partnerin / Ihr Partner arbeitet auf Seite 90.

▶ 2 29–31

5 Bist du mit deinem Job zufrieden?

AB

a Hören Sie die Aussagen und notieren Sie: zufrieden 😊, neutral 😐 oder unzufrieden 🙁?

😞   1 Ich bin gar nicht zufrieden mit meiner Ausbildung. Immer muss ich
kopieren und Kaffee kochen. Das ist langweilig und _____.
_____

○   2 Ich bin Architektin von Beruf. _____
Meine Arbeit ist interessant und das Betriebsklima in unserer Firma
ist prima. _____

○ 3 Eigentlich bin ich Ingenieurin, aber zurzeit arbeite ich als Verkäuferin.
_____ Ich kann hier Teilzeit arbeiten und
mich um meine kleine Tochter kümmern.

b Hören Sie noch einmal und ergänzen Sie.

> Damit bin ich super zufrieden. | das ärgert mich | Der Job ist nicht toll, aber okay. |
> Ich habe wirklich genug. | So macht Arbeiten Spaß.

Diktat

c Interviewen Sie Ihre Partnerin / Ihren Partner. Machen Sie Notizen und erzählen Sie dann.

	Bist du mit … zufrieden?	Warum / Warum nicht?
Beruf/Job/Ausbildung		
Tätigkeiten	überhaupt nicht	langweilig
Einkommen		
Arbeitszeiten/Urlaub		
Kollegen/Chef	nein	Chef: immer schlechte Laune

KOMMUNIKATION

😊 Ja, ich bin (sehr) zufrieden damit. Mein Job /… ist sehr interessant/… Ich finde meinen Beruf /… prima/ gut/schön. Mein Beruf /… macht mir großen Spaß.	😐 Na ja, es geht. Der Job ist okay.	🙁 Nein, ich bin (sehr) unzufrieden damit. Nein, überhaupt nicht. Ich habe keine Lust mehr. Ich habe genug. Immer muss ich … Das ärgert mich. / Das stört mich. Deshalb möchte ich … Das habe ich fest vor.

AB **6 Das deutsche Schulsystem**

Sehen Sie das Schema an und schreiben Sie Aufgaben wie im Beispiel.
Welcher Schultyp passt zu den Personen? Fragen Sie im Kurs.

Ulla, 14, will Medizin studieren

Simon, 8, geht nicht gern in die Schule. Er möchte später als Schreiner arbeiten.

In Deutschland hat jedes Bundesland ein eigenes Schulsystem.
Hier eine einfache Grafik:

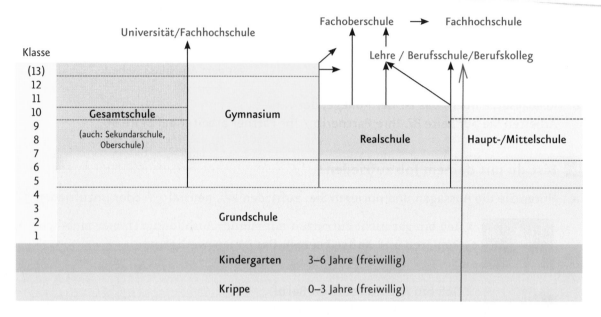

- ■ Ulla ist 14 Jahre alt und will Medizin studieren. Welcher Schultyp passt zu ihr?
- ▲ Sie kann zum Beispiel ein Gymnasium oder eine Gesamtschule besuchen.
  Sie muss das Abitur machen, dann kann sie auf die Universität.

GRAMMATIK

Relativpronomen und Relativsatz

	Nominativ	Akkusativ
● Das ist der Beruf,	der zu mir passt.	den ich liebe.
● Das ist das Buch,	das so empfehlenswert ist.	das ich so gern gelesen habe.
● Das ist die Arbeit,	die zu mir passt.	die ich liebe.
● Das sind die Jobs,	die zu uns passen.	die ich machen könnte.

KOMMUNIKATION

Zufriedenheit/Unzufriedenheit ausdrücken

Bist du mit deinem Beruf / deiner Ausbildung / deinem Job zufrieden?

☺	Ja, ich bin (sehr) zufrieden damit. Mein Job /... ist sehr interessant/... Ich finde meinen Beruf /... prima/gut/schön. Mein Beruf /... macht mir großen Spaß.
😐	Na ja, es geht. Der Job ist okay.
☹	Nein, ich bin (sehr) unzufrieden damit. Nein, überhaupt nicht. Ich habe keine Lust mehr. Ich habe genug. Immer muss ich ... Das ärgert mich. / Das stört mich. Deshalb möchte ich ... Das habe ich fest vor.

▶ 2 32 **1** **Sehen Sie das Foto an, hören Sie und beantworten Sie die Fragen. Was meinen Sie?**

Wo sind die Leute auf dem Foto?
Warum sind sie dort?

2 **Wann haben Sie zuletzt jemanden am Flughafen/ Bahnhof abgeholt? Erzählen Sie.**

> Letztes Jahr habe ich zusammen mit drei Freundinnen eine Freundin vom Flughafen abgeholt. Wir hatten Blumen und eine Flasche Sekt dabei.

Sprechen: Begeisterung ausdrücken: *Das war ein tolles Jahr mit vielen schönen Erlebnissen.*; Enttäuschung ausdrücken: *Es war keine schöne Zeit.*

Lesen: Mitarbeiterporträt

Wortfelder: Mobilität, Reise, Ausland

Grammatik: Präteritum *kam, sagte, ...*

Spiel & Spaß

3 **Was passt? Arbeiten Sie zu zweit. Sehen Sie ins Bildlexikon und notieren Sie. Schreiben Sie dann zwei eigene Rätsel und tauschen Sie mit einem anderen Paar.**

a Das brauchen Sie für eine Reise ins Ausland. Sie können es beim Konsulat beantragen: _Visum_.

b Sie liegt zwischen zwei Ländern. Hier gibt es oft Kontrollen: _____

c Sie können ihn verlängern, wenn er nicht mehr gültig ist: _____

AB

4 **Ärzte ohne Grenzen – Mitarbeiterporträt**

Beruf

a **Was passt? Überfliegen Sie das Mitarbeiterporträt und ergänzen Sie die Fragen.**

> Hast du schon mal ein ähnliches Projekt gemacht? | Waren die Vorbereitungen kompliziert? |
> Was hast du vermisst? | Was ist die schönste Erinnerung an deine Arbeit? | ~~Was war deine letzte~~
> ~~Arbeitsstelle in Deutschland?~~ | Welche Pläne hast du für die Zukunft? | Wie sah dein Alltag aus?

Patricia Günther (32) ist Hebamme und war sechs Monate lang für Ärzte ohne Grenzen im Sudan. Was hat sie erlebt? Was hat ihr besonders gut gefallen? Was hat sie vermisst?

Patricia Günther

5 _Was war deine letzte Arbeitsstelle in Deutschland?_
Ich habe als freiberufliche Hebamme gearbeitet.

_____
Ja, das war mein zweites Projekt für Ärzte ohne Grenzen.

10 _____
Es geht. Ich habe mein Visum kurz vor meinem Abflug am Flughafen bekommen. Vom Arzt habe ich ein paar Impfungen bekommen. Außerdem war mein Pass nicht mehr gültig. Ich musste ihn verlängern
15 lassen.

_____
Welche Erfahrungen hast du gemacht?
Ich kam in ein kleines Krankenhaus und sollte dort ein Team leiten. Ich bin meistens sehr früh aufge-
20 standen. Nach einem kleinen Frühstück habe ich erst mal die Büroarbeit gemacht und sagte der Sekretä-rin, was sie tun soll. Das Mittagessen musste leider oft ausfallen. Es war einfach zu viel Arbeit da. Ich war immer ganz schön müde, wenn ich gegen sieben
25 Uhr abends nach Hause kam. Und dann musste ich jede zweite Nacht auch noch mal raus. Oft gab es eine Zwillingsgeburt oder eine Geburt mit Komplika-tionen.

Was hast du in deiner Freizeit gemacht?
30 Wir haben gern Musik gehört. Manchmal haben wir auch mit den nationalen und den internationalen Kol-legen Volleyball gespielt. Das hat viel Spaß gemacht. Oft haben wir uns auch einfach nur unterhalten.

Was hat dir am besten gefallen?
Die wirklich gute Zusammenarbeit mit den Kollegen
35 und der nahe Kontakt zu den Frauen und ihren Babys.

_____
Meine Eltern und meine Geschwister. Meine Freunde. Zum Glück konnte ich ab und zu chatten. Leider hat
40 das Internet nicht immer funktioniert.

Was hat dir am meisten von zu Hause gefehlt?
Schokolade, Salat und Obst. Außerdem konnte ich leider nicht schwimmen gehen.

_____
45 Jetzt feiere ich erst mal Weihnachten mit meiner Familie. Aber ich bin bald wieder für Ärzte ohne Grenzen unterwegs. Im Januar fliege ich nach Nigeria.

_____
50 Oh, es gibt so viele! Jede Geburt war ein tolles Er-lebnis. Jeder Tag hat neue Erfahrungen gebracht. Aber am besten hat mir gefallen, dass meine Arbeit so sinnvoll war. Der Kontakt zu all den Frauen und Kindern war wunderschön. Alle sagten, dass sie
55 mich sehr vermissen werden.

Würdest du so ein Projekt weiterempfehlen?
Aber ja! Das würde ich auf jeden Fall. Ich fand es wirklich toll.

● Pass

● Abflug

● Ankunft

● Anschluss

24

b Lesen Sie den Text noch einmal. Sind die Sätze richtig? Kreuzen Sie an.
Schreiben Sie vier eigene Aussagen und tauschen Sie mit Ihrer Partnerin / Ihrem Partner.

1 Patricia Günther hat als Krankenschwester im Sudan gearbeitet. ○
2 Sie hat dort auch ein Team geleitet. ○
3 Nachts musste sie auch oft ins Krankenhaus, wenn es komplizierte Geburten gab. ○
4 Die Zusammenarbeit mit den Kollegen war nicht sehr gut. ○
5 Von zu Hause hat sie am meisten Schokolade, Gemüse und Obst vermisst. ○

AB **5** **Ich kam in ein kleines Krankenhaus.**

a Markieren Sie alle Vergangenheitsformen im Text in **4a**.
Ergänzen Sie dann die Tabelle mit den Präteritumformen.

Präsens (jetzt)	Präteritum (früher)	Präsens (jetzt)	Präteritum (früher)
er/sie muss	musste	er/sie sieht	
er/sie kann		er/sie kommt	
er/sie soll		er/sie gibt	
er/sie will	wollte	er/sie findet	
er/sie darf	durfte	er/sie sagt	
er/sie ist			
er/sie hat	hatte		

b Wo war …? Arbeiten Sie auf Seite 88. Ihre Partnerin / Ihr Partner arbeitet auf Seite 91.

AB **6** **Welche Erfahrungen haben Sie mit Auslandsaufenthalten?**

a Überlegen Sie: Wollen Sie einen wahren Bericht schreiben oder einen Bericht erfinden?
Machen Sie dann Notizen zu den Fragen und schreiben Sie einen Erfahrungsbericht.

Wo waren Sie?	Nach der Schule / dem Studium … war ich in …
Wie lange waren Sie dort?	Ich war dort …
Was haben Sie dort gemacht?	Ich habe … / Ich musste …
Was haben Sie vermisst?	Am meisten habe ich … vermisst. / Ich fand es traurig, dass …
Was war Ihr schönstes Erlebnis?	Am besten hat mir … gefallen. / Es hat mir super gefallen, dass …
Gab es etwas, was nicht so schön war?	Ich musste immer … Das hat mir nicht so gut gefallen. / Leider hat … nicht (so gut) geklappt.
Würden Sie es empfehlen oder nicht?	Das war eine tolle Zeit mit vielen schönen Erlebnissen/ Erfahrungen. Ich konnte viele neue Erfahrungen sammeln. Das würde ich jedem empfehlen. / Es war keine schöne Zeit. Das würde ich niemandem empfehlen.

b Hängen Sie Ihren Erfahrungsbericht im Kursraum auf. Die anderen lesen die Texte und raten:
Welche sind wahr und welche sind frei erfunden?

7 Deutschland/Österreich/Schweiz-Quiz

a Machen Sie das Quiz. Es können mehrere Antworten richtig sein.

1 Welches Land ist am kleinsten?
○ Deutschland.   ○ Österreich.   ○ Die Schweiz.

2 Welches Land hat die längste Grenze?
○ Deutschland.   ○ Österreich.   ○ Die Schweiz.

3 In welchen Ländern liegt der Bodensee?
○ In Deutschland.   ○ In Österreich.   ○ In der Schweiz.

4 Welches Land hat die meisten Amtssprachen?
○ Deutschland.   ○ Österreich.   ○ Die Schweiz.

5 Was ist das bekannteste Schweizer Nationalgericht?
○ Gulasch.   ○ Käsefondue.   ○ Labskaus.

6 Welches ist die größte Stadt in Österreich?
○ Graz.   ○ Linz.   ○ Wien.

7 Welches Land ist für seine Kaffeehäuser bekannt?
○ Deutschland.   ○ Österreich.   ○ Die Schweiz.

8 Welches Land hat den höchsten Berg?
○ Deutschland.   ○ Österreich.   ○ Die Schweiz.

Lösung: 1: CH, 2: D, 3: D, A, CH, 4: CH, 5: Käsefondue, 6: Wien, 7: A, 8: CH

b Arbeiten Sie in Gruppen und wählen Sie ein Land. Suchen Sie Informationen im Internet und machen Sie ein Quiz für die anderen Teilnehmer. Welche Gruppe kann die meisten Fragen richtig beantworten?

GRAMMATIK

Präteritum

	regelmäßige Verben	unregelmäßige Verben			
	sagen	kommen	geben	finden	sehen
ich	sagte	kam	gab	fand	sah
du	sagtest	kamst	gabst	fandest	sahst
er/es/sie	sagte	kam	gab	fand	sah
wir	sagten	kamen	gaben	fanden	sahen
ihr	sagtet	kamt	gabt	fandet	saht
sie/Sie	sagten	kamen	gaben	fanden	sahen

KOMMUNIKATION

Begeisterung ausdrücken

Das war eine tolle Zeit mit vielen
  schönen Erlebnissen/Erfahrungen.
Ich konnte viele neue/schöne/...
  Erfahrungen machen.
Es hat mir super/ ... gefallen, dass ...
Das würde ich jedem empfehlen.

Enttäuschung ausdrücken

Ich fand es traurig, dass ...
Leider hat ... nicht (so gut) geklappt.
Ich musste immer ... Das hat mir
  nicht so gut gefallen.
Es war keine schöne Zeit. Das würde
  ich niemandem empfehlen.

AUDIMAX | Das Monatsmagazin für Studierende

Arzt – ein Traumberuf?

Sie wollen Arzt werden? Sie träumen von einem sorgenfreien Leben mit Familie? Und von einer ruhigen Praxis im Stadtzentrum? Alles möglich. Doch bis es so weit ist, stellen Sie sich auf unruhige Wanderjahre ein. Denn der Beruf verlangt viel Flexibilität. Von der ganzen Familie.

Familie Ebel musste oft umziehen

5 Kai Ebel ist 19, als er zum ersten Mal umzieht. Gleich nach dem Abitur zieht er zum Medizinstudium von **Bremen** nach **Berlin**. Dort lernt er seine spätere Frau
10 Karin kennen, die in Berlin eine Ausbildung zur Physiotherapeutin macht. Gemeinsam verbringen sie ein Auslandssemester in **Australien**, dann das Praktische Jahr in **England**. Drei Umzüge hat Kai Ebel bereits hinter sich, als er eine Familie gründet.

15 „Als unser erstes Kind auf die Welt kam, sind wir nach **München** gezogen", erzählt Herr Ebel, „denn dort bekam ich eine Stelle als Assistenzarzt. Doch ich wollte nicht ewig Assistenzarzt bleiben, also musste ich mich bald wieder bewerben."

20 Herr Ebel bewirbt sich um eine Stelle in **Wittenberg** und hat Glück. Kurz darauf unterschreibt er den Vertrag.

„In Wittenberg kam unser zweites Kind auf die Welt", berichtet er. „Doch bis wir einen Kinder-
25 garten- und einen Krippenplatz hatten, zog es mich schon wieder weiter. Ein Krankenhaus in **Kassel** bot mir eine Facharztstelle an. Da konnte ich nicht nein sagen."

Immerhin drei Jahre verbringt die Familie in Kassel.
30 Erst als Herr Ebel von einer freien Oberarztstelle in **Lübeck** erfährt, bewirbt er sich wieder – mit Erfolg. Seine Frau erinnert sich: „Auch wenn der Verdienst besser war – anfangs war ich nicht gerade begeistert. Ich musste ja auch jedes Mal wieder von
35 vorne anfangen. Erst wenn die Kinder untergebracht waren, konnte ich selbst Arbeit suchen. Da war meine Laune manchmal nicht die beste. Aber zum Glück sind Physiotherapeuten überall sehr gefragt."

Herr Ebel kündigt also seine Stelle und die Familie
40 zieht weiter. Zum vierten Mal. Für Herrn Ebel selbst ist es bereits der siebte Umzug. Doch diesmal soll es der letzte sein.

In **Lübeck** fühlt sich die Familie wohl. Sie wohnt in einem hübschen Einfamilienhaus in einem ruhigen
45 Stadtviertel, etwas außerhalb vom Zentrum. Die Kinder haben wieder Freunde gefunden. Kai Ebel ist glücklich. Er hat einen Beruf, der ihm Spaß macht, eine Frau, die er liebt, und zwei Kinder, die bereits zur Schule gehen. Sein Einkommen stimmt.
50 Er plant keinen Umzug mehr. Zumindest nicht in naher Zukunft. Obwohl – diese Chefarztstelle in der Schweiz reizt ihn schon …

---

1 Lesen Sie den Artikel und korrigieren Sie.

a Für sein Medizinstudium zieht Kai Ebel nach Bremen.
b In München hatte Kai Ebel eine Stelle als Facharzt.
c In Wittenberg hat Familie Ebel sofort Betreuungsplätze für die beiden Kinder gefunden.
d Am Krankenhaus in Kassel hat Herr Ebel vier Jahre gearbeitet.
e Frau Ebel arbeitet ~~nicht mehr~~ *immer noch* als Physiotherapeutin.
f Kai Ebel möchte bald wieder umziehen.

2 Und Sie? Wie oft sind Sie schon umgezogen? Wäre Arzt ein Beruf für Sie?
Erzählen Sie.

FILM-STATIONEN *Clip 8*

▶ Clip 8 **1** **Vor der Bank**

a Was passiert hier? Was meinen Sie?
Sehen Sie den ersten Teil des Films (bis 1:06)
ohne Ton und erzählen Sie.

> Bargeld holen | Bank ist geschlossen | Bank ist offen |
> EC-Karte funktioniert nicht | der EC-Automat ist kaputt | ...

b Sehen Sie den ersten Teil des Films (bis 1:06) noch einmal mit Ton und korrigieren Sie.

1 Lena hat das Konto ~~schon~~ lange. *noch nicht*
2 Der EC-Automat funktioniert nicht.
3 Die Bank ist offen.
4 Lena kann das Problem heute noch lösen.
5 Die beiden Frauen gehen in ein Café.

▶ Clip 8 **2** **Überraschung**

a Was ist richtig? Sehen Sie den zweiten Teil des Films
(ab 1:07) und kreuzen Sie an.

1 Christian hilft Max
○ mit einer Versicherung. ○ mit einem Kredit.
2 Melanie und Max haben zwei Zimmer
○ in verschiedenen Pensionen ○ in der gleichen Pension gebucht.

b Sehen Sie den zweiten Teil des Films (ab 1:07)
noch einmal und machen Sie Notizen zu den Fragen.
Vergleichen Sie dann mit Ihrer Partnerin /
Ihrem Partner.

1 Welche Überraschung hat Melanie?

_____

2 Welche Überraschung hat Max?

_____

3 Wie lösen sie das Problem?

_____

c Über welche Überraschung würden Sie sich freuen? Erzählen Sie.

> Ich würde mich über ein Wochenende am
> Meer freuen. Am liebsten würde ich in
> einem Leuchtturm 🗼 übernachten.

1 Lesen Sie den Text und beantworten Sie die Fragen.

Jobben und Reisen im Ausland

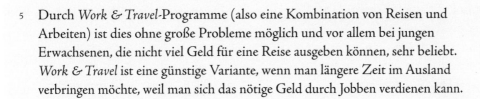

Sie möchten als Kellner nach Neuseeland?
Als Küchenhilfe in die USA? Zur Weinlese nach Deutschland?
Oder zur Olivenernte nach Italien? Und dabei möchten Sie auch noch
Ihre Sprachkenntnisse verbessern und Land und Leute kennenlernen?

5   Durch *Work & Travel*-Programme (also eine Kombination von Reisen und
Arbeiten) ist dies ohne große Probleme möglich und vor allem bei jungen
Erwachsenen, die nicht viel Geld für eine Reise ausgeben können, sehr beliebt.
Work & Travel ist eine günstige Variante, wenn man längere Zeit im Ausland
verbringen möchte, weil man sich das nötige Geld durch Jobben verdienen kann.

10 Die Organisatoren der *Work & Travel*-Programme helfen bei der Jobvermittlung,
bei der Suche nach Unterkünften und kümmern sich auch – wenn gewünscht –
um einen passenden Sprachkurs.

Work & Travel kann man in fast jedem Land machen. Besonders beliebt sind
Australien, Neuseeland, die USA, Kanada und in Europa unter anderem
15 Großbritannien.

Teilnehmen kann jeder zwischen 18 und 30 Jahren. Man muss nur zwischen drei
Monaten und einem Jahr Zeit haben.

a   Was ist *Work & Travel*? _____
b   Wo kann man das machen? _____
c   Wer kann an dem Programm teilnehmen? _____

2 Ein Jahr im Ausland

a   Was würden Sie gern machen? Wählen Sie und suchen Sie im Internet eine Organisation,
die diese Reiseform anbietet. Recherchieren Sie und machen Sie Notizen zu den Fragen.

Work & Travel | Freiwilligenarbeit | Sprachreisen | Au-pair | Praktikum | ...

1   Was machen Sie im Ausland?
2   Wobei hilft die Organisation Ihnen?
3   Wer kann an dem Programm teilnehmen?
4   Wie gefällt Ihnen das Programm? Würden Sie daran
teilnehmen? Warum / Warum nicht?

UNSERE TIPPS

für ein Jahr im Ausland

b   Machen Sie eine Broschüre im Kurs: Schreiben Sie kurze
Texte zu den Fragen und suchen Sie passende Fotos im
Internet. Präsentieren Sie Ihr Programm im Kurs.

AUSKLANG

1. Fr____nde, die man findet.
    L__nde__, die man sieht.
    H__l__e, die man gibt.
    Und Hilfe, die man kriegt.
    Die So____e, die man fühlt.
    Der T__g, den man beginnt.
    Ein Sp____l, das man verliert.
    Ein Spiel, das man gewinnt.

    Refrain

    So sieht das Leben aus, so sieht das Leben aus
    und wir sind mit dabei, wir sind mit dabei.

2. Die B__um__, die man riecht.
    Das B__ot, das man isst.
    Ein __paß, den man macht.
    Ein S____merz, den man vergisst.
    Das Bi__d, das man malt.
    M__si__, die man liebt.
    Ein Ta____, den man tanzt
    Und Küsse, die man gibt.

    Refrain

    So sieht das Leben aus, so sieht das Leben aus
    und wir sind mit dabei, wir sind mit dabei.

3. __o__te, die man sagt.
    L____be, die man schenkt.
    Ein __ie__, das man singt.
    Gedanken, die man denkt.
    Tr____m__, die man träumt.
    __r__gen, die man stellt.
    Dinge, die man weiß
    Und Hä____e, die man hält.

    Refrain

    So sieht das Leben aus, so sieht das Leben aus
    und wir sind mit dabei, wir sind mit dabei.

▶ 2 33   **1** **Arbeiten Sie zu zweit und ergänzen Sie den Liedtext.**
Hören Sie dann das Lied und vergleichen Sie.

▶ 2 33   **2** **Hören Sie das Lied noch einmal und singen Sie mit.**

Ihre Sprachlerngeschichte

Machen Sie Notizen zu den Fragen und fragen Sie dann Ihre Partnerin / Ihren Partner.

	Ich	Meine Partnerin / Mein Partner
Wann sind Sie in die Schule gekommen?	6 Jahre	7 Jahre
Was war Ihre erste Fremdsprache und wann haben Sie sie gelernt?	Englisch, Schule, 3. Klasse	
Wann haben Sie Ihr erstes Wort Deutsch gelernt?		
Wann haben Sie Ihren ersten Deutschkurs besucht?		
Wo haben Sie Ihren ersten Deutschkurs besucht (Goethe-Institut, Sprachenschule, Volkshochschule ...)?		
Sind Sie schon einmal in Deutschland / Österreich / der Schweiz gewesen?		
Wenn ja: Wann und wo?		
Wenn nein: Planen Sie es?		
Haben Sie weitere Fremdsprachen gelernt?		
Wenn ja: Welche, wann und wo?		
Wenn nein: Möchten Sie noch Fremdsprachen lernen?		

- ■ Wann bist du in die Schule gekommen?
- ▲ Als ich sechs Jahre alt war. Und du?
- ■ Ich bin in die Schule gekommen, als ich sieben war.
- ▲ Was war deine erste Fremdsprache?
- ■ Ich habe zuerst Englisch gelernt. Das war in der Schule, als ich in die dritte Klasse gekommen bin.

Variante:
Schreiben Sie einen Text zu Ihrer Sprachlerngeschichte. Mischen Sie die Texte und verteilen Sie sie. Lesen Sie den Text vor. Die anderen raten: Wer hat den Text geschrieben?

Als ich sechs Jahre alt war, bin ich in die Schule gekommen. Ich bin gern in die Schule gegangen. Meine erste Fremdsprache war Englisch.

Auf der Post: Was wird hier gemacht?

a Fragen Sie Ihre Partnerin / Ihren Partner und notieren Sie die Antworten.

Schritt 1   <u>Das Paket wird gepackt.</u>

Schritt 2 _____

Schritt 3 _____

Schritt 4 _____

- ■ Was wird in Schritt 1 gemacht?
- ▲ Das Paket wird gepackt.

b Nun stellt Ihre Partnerin / Ihr Partner Ihnen Fragen. Antworten Sie.

Schritt 5   Porto – bezahlen

Schritt 6   Paket – transportieren

Schritt 7   Paket – zum Empfänger – bringen

Schritt 8   Paket – öffnen

- ▲ Was wird in Schritt 5 gemacht?
- ■ Das Porto wird bezahlt.

KB I S. 19 | **Lektion 15** | **4c**

Würfelspiel: Wir schenken unserem Freund eine DVD.

Würfeln Sie und wählen Sie das passende Verb. Machen Sie einen Satz wie im Beispiel.
Ihre linke Nachbarin / Ihr linker Nachbar sagt den Satz mit Pronomen.

geben | kaufen | schicken | schenken |

wegnehmen | erzählen | leihen | bringen |

empfehlen | zeigen | schreiben

Wem?	Was?
ihre Freunde	Paket
unser Nachbar	
du	Geschichte
meine Kinder	
unser Freund	Kinderwagen
dein Mann	
ich	Schokolade
...	
	DVD
	Fahrplan
	Handy
	Anzug
	Parfüm
	Brief
	Rose
	Topf
	...

■ Wir schenken unserem Freund eine DVD.
▲ Super Idee! Genau, wir schenken ihm eine DVD.

Auf der Post: Was wird hier gemacht?

a Ihre Partnerin / Ihr Partner stellt Ihnen Fragen. Antworten Sie.

Schritt 1   Paket – packen

Schritt 2   Absender und Empfänger – ergänzen

Schritt 3   Paket – zur Post – bringen

Schritt 4   Paket – am Schalter – wiegen

- ■ Was wird in Schritt 1 gemacht?
- ▲ Das Paket wird gepackt.

b Fragen Sie nun Ihre Partnerin / Ihren Partner und notieren Sie die Antworten.

Schritt 5   *Das Porto wird bezahlt.*

Schritt 6   _____

Schritt 7   _____

Schritt 8   _____

- ▲ Was wird in Schritt 5 gemacht?
- ■ Das Porto wird bezahlt.

Lektion 16 4a

Im Hotel: Höfliche Fragen

Partner A

Fragen Sie Ihre Partnerin / Ihren Partner höflich nach den fehlenden Informationen und beantworten Sie die Fragen Ihrer Partnerin / Ihres Partners.

Wie komme ich zum Schwimmbad?	Aufzug in den Keller, dann links
Wann gibt es Frühstück?	*Von Montag bis Freitag …*
Wann hat das Restaurant geöffnet?	mittags: 11:30 – 14:30 Uhr, abends: 18:00 – 23:30 Uhr
Ist ein Zimmer frei?	
Haben Sie Zeitungen?	an der Rezeption
Wo kann ich neue Handtücher bekommen?	
Wie komme ich zum Flughafen?	mit der S-Bahn
Haben Sie auch Zimmer mit Vollpension?	
Bestellen Sie mir ein Taxi?	ja, Bescheid geben, wenn es da ist
Darf ich hier rauchen?	
Können Sie mich morgen früh um 7:00 Uhr wecken?	um 7:00 Uhr anrufen
Wann öffnet die Bar?	
Wie lange gibt es am Sonntag Frühstück?	bis 12:00 Uhr

▲ Können Sie mir erklären, wie ich zum Schwimmbad komme?
● Ja, am besten nehmen Sie den Aufzug in den Keller und gehen dann nach links.
▲ Vielen Dank!

● Ich weiß nicht, wann es …

> KOMMUNIKATION
>
> Können Sie mir erklären, …?
> Können Sie mir sagen, …?
> Wissen Sie, …?
> Ich weiß nicht, …
> Ich würde gern wissen, …
> Darf ich fragen, …?

▸ 2 12 **Wege beschreiben: Nach der Keller-Bar noch ein Stück geradeaus.**

a Hören Sie noch einmal und zeichnen Sie den Weg ein.

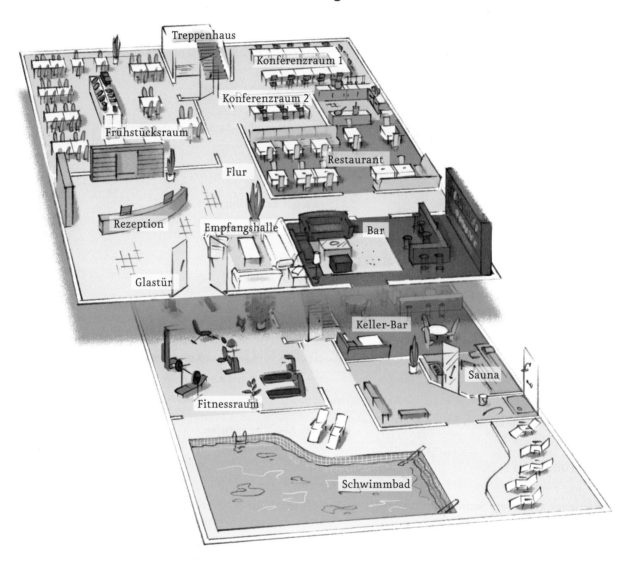

b Rollenspiel: Sie stehen an der Rezeption. Wählen Sie einen Raum auf dem Plan in a und fragen Sie nach dem Weg. Ihre Partnerin / Ihr Partner (Mitarbeiter/in an der Rezeption) beschreibt den Weg falsch. In welchem Raum sind Sie?
Tauschen Sie dann die Rollen.

> KOMMUNIKATION
>
> Am besten gehen Sie geradeaus / nach rechts / nach links /
>   am Frühstücksraum vorbei / durch die Empfangshalle / ...
>
> Und dann gehen Sie durch die Glastür / ins Treppenhaus /
>   in den Keller.
>
> Die Sauna liegt/ist gegenüber vom Schwimmbad / neben ... /
>   zwischen ... und ...

KB I S. 31 **Lektion 17** 4c

Wörter im Text verstehen

Sehen Sie sich zu zweit die markierten Begriffe an: 12 sind falsch und 5 sind richtig.
Finden Sie die Fehler und ergänzen Sie die richtigen Begriffe aus dem Kasten.

Straßen | ganz schön | Fahrzeug | duschen | Auf dem Feld | in Kontakt | Viel Spaß | fröhliche |
Abfahrt | Reifen | vorsichtig | jemand

○   ○   ○   Ⓐ   ○

Hallo, wir sind ein Pärchen aus München und verreisen gern mit unseren Motorrädern. Mit keinem anderen
Wagen kommt man so schnell mit den Menschen auf die Fähren – außer mit dem Fahrrad vielleicht. Diesmal
wollen wir bis ans Schwarze Meer, nach Rumänien. Wenn alles gut läuft, sind wir in vier Wochen am Meer.
Wollt ihr wissen, was wir auf unserer Reise so erleben? Dann lest unser Reisetagebuch!
5 Gute Fahrt dabei wünschen Felix & Simone

Ⓐ 7.–14. Juli: Gleich nach unserer Ankunft haben wir
eine Reifenpanne. Zum Glück finden wir schnell
eine Tankstelle mit Werkstatt. Felix wechselt seinen
Motor und ich tanke. Aber das Ganze kostet uns
10 Zeit. Insgesamt brauchen wir eine Woche durch
Deutschland, Österreich und Ungarn. In Deutschland und Österreich benutzen wir noch viel die
Autobahn. In Ungarn fahren wir nur auf kleinen
Autobahnen. Wir überqueren fünfmal die Donau mit
15 einer Fähre. Dabei werden die Schiffe immer
kleiner. Am Ende passt nur noch ein Motorrad hinein. Überhaupt nicht gefährlich!

*Muriel: Das überrascht mich. Mitten in Europa so
kleine Fähren!*

Ⓑ 20 16. Juli: Hoppla! Da liegt Simone plötzlich auf der
Seite. Tja, auf den Straßen in Rumänien muss man
schnell fahren. Besonders, wenn es geregnet
hat. Nur die großen Straßen haben hier Asphalt.
Aber genau das wollen wir ja! Zum Glück ist Simone
25 nichts passiert. Aber oft kommen wir schmutzig
und müde im Hotel an. Wir tanzen und ruhen
uns aus. Wenn wir dann abends sauber zum Essen
gehen, erkennt uns keiner wieder.

Săpânța – 22. Juli: Seit gestern sind wir in Săpânța,
30 einem kleinen Dorf in der Region Maramures. Das
ist ganz in der Nähe der ukrainischen Grenze. Wir
wohnen in einem alten Bauernhaus. Auf der Straße
wird noch gearbeitet wie früher. Ohne Maschinen,
nur mit Pferden. Das sieht romantisch aus, ist aber
35 sicher harte Arbeit. Dafür schmeckt das Gemüse
toll. Zum Abendessen haben wir die besten Tomaten der Welt gegessen! Ⓒ

Und jetzt kommt das Beste: Săpânța hat einen Ⓓ
weltberühmten Friedhof mit vielen bunten Holz-
40 kreuzen. Und weil die Holzkreuze mit ihren bunten
Farben gar nicht traurig aussehen, wird der Friedhof auch „der traurige Friedhof" genannt.

*Jörg: Nicht zu glauben! Toll! So sollten unsere Friedhöfe
auch aussehen.*

45 Viseu de Sus – 25. Juli: Heute waren wir auf Ⓔ
einem Markt in Viseu de Sus. Dort werden viele
Lebensmittel und Tiere verkauft. Niemand hat auch
Kassetten mit rumänischer Musik angeboten. Felix
hat sich eine gekauft. Und stellt euch vor, was er
50 als Wechselgeld bekommen hat: einen Geldschein,
eine Münze und … zwei Kaugummis!

Variante:
Lösen Sie die Aufgabe ohne Auswahlkasten.

Im Hotel: Höfliche Fragen

Beantworten Sie die Fragen Ihrer Partnerin / Ihres Partners und fragen Sie dann Ihre Partnerin / Ihren Partner höflich nach den fehlenden Informationen.

Wie komme ich zum Schwimmbad?	*Aufzug in den Keller, dann links*
Wann gibt es Frühstück?	Mo–Fr: 6:30–9:30 Uhr; Sa + So: 8:00–11:00 Uhr
Wann hat das Restaurant geöffnet?	
Ist ein Zimmer frei?	Einzel- oder Doppelzimmer?
Haben Sie Zeitungen?	
Wo kann ich neue Handtücher bekommen?	Zimmerservice Bescheid sagen
Wie komme ich zum Flughafen?	
Haben Sie auch Zimmer mit Vollpension?	nur mit Frühstück, aber gibt Restaurant im Hotel
Bestellen Sie mir ein Taxi?	
Darf ich hier rauchen?	hier leider nicht, aber in der Bar
Können Sie mich morgen früh um 7:00 Uhr wecken?	
Wann öffnet die Bar?	um 17:30 Uhr
Wie lange gibt es am Sonntag Frühstück?	

▲ Können Sie mir erklären, wie ich zum Schwimmbad komme?

● Ja, am besten nehmen Sie den Aufzug in den Keller und gehen dann nach links.

▲ Vielen Dank!

● Ich weiß nicht, wann es …

> **KOMMUNIKATION**
> Können Sie mir erklären, …?
> Können Sie mir sagen, …?
> Wissen Sie, …?
> Ich weiß nicht, …
> Ich würde gern wissen, …
> Darf ich fragen, …?

Lektion 18 | 4b

Interview: Worauf freust du dich?

a Beantworten Sie die Fragen. Machen Sie Notizen und machen Sie zwei falsche Angaben.
Fragen Sie dann Ihre Partnerin / Ihren Partner und notieren Sie die Antworten.

	Ich	Meine Partnerin / Mein Partner
Worauf freust du dich?	Meine Hochzeit	Winter
Wofür interessierst du dich?		
Worüber ärgerst du dich oft?		
Wovon träumst du?		
Worüber sprichst du gern?		
Mit wem hast du heute schon gesprochen?		
Womit bist du unzufrieden?		
Worauf hast du keine Lust?		
Woran denkst du gern?		
Mit wem triffst du dich heute Abend?		

- ■ Worauf freust du dich?
- ● Ich freue mich auf den Winter. Und du? Worauf freust du dich?
- ■ Auf meine Hochzeit! Darauf freue ich mich schon sehr.

b Was meinen Sie? Wann hat Ihre Partnerin / Ihr Partner gelogen? Überprüfen Sie Ihre
Vermutungen.

- ■ Ich glaube nicht, dass du dich auf den Winter freust.
- ● Ja, das ist falsch. Darauf freue ich mich überhaupt nicht.
- ■ Ich glaube auch nicht, dass …

Fragen stellen: Wohin geht die Frau mit dem gelben Hut?

a Sehen Sie das Bild an und schreiben Sie zu zweit sechs Fragen mit *woher, wo, wohin*.

> 1 Wo grillt die Familie?
> 2 Wohin geht die Frau mit dem gelben Hut?
> ...

b Tauschen Sie die Fragen mit einem anderen Paar und notieren Sie die passenden Antworten.

> 1 Wo grillt die Familie?   Sie grillt im Park.
> 2 Wohin geht die Frau mit dem gelben Hut? Sie geht ins Café.
> ...

Variante: Zeichnen Sie zu zweit kleine Bilder und tauschen Sie mit einem anderen Paar. Beschreiben Sie die Bilder.

> Die beiden Personen
> gehen ins Theater.

KB I S. 47 **Lektion 20** 4b

Aktivitäten-Bingo: Wer durfte/konnte/... was als Kind?

Suchen Sie Personen im Kurs und notieren Sie die Namen. Wer hat zuerst sechs Personen?

Variante 1: senkrecht

Variante 2: waagerecht

Variante 3: diagonal

- ■ Durftest du als Kind Comics lesen?
- ● Nein, leider nicht.

- ■ Musstest du früher / als Kind auch jeden Abend dein Zimmer aufräumen?
- ▲ Ja, das musste ich.

durfte	wollte	musste	konnte	sollte	mochte
allein verreisen	allein in die Schule gehen	jeden Abend das Zimmer aufräumen	vor der Schule schon lesen	nicht so viele Computerspiele spielen	Comics
abends im Bett noch lesen	jeden Abend eine Geschichte hören	im Haushalt helfen	schon mit 4 Jahren Rad fahren	ein Musik-instrument lernen	Hörbücher
Comics lesen	Fußballprofi werden	abends früh ins Bett gehen	schwimmen	nach jedem Essen Zähne putzen	Salat
bei Freunden übernachten	jeden Tag Nudeln essen	auf deine Geschwister aufpassen	Ski fahren	nicht so spät ins Bett gehen	Märchen
auf Partys gehen	immer draußen spielen	oft Verwandte besuchen	ein Musik-instrument spielen	sich nicht streiten	Kinofilme
in die Diskothek gehen	einen eigenen Laptop haben	sich morgens immer beeilen	Schach spielen	mehr Sport machen	Gemüse

Alibi-Spiel

Am Samstag um 16 Uhr hat jemand bei Familie Müller eingebrochen und
Geld und Schmuck gestohlen.

a Die Polizei befragt einen Verdächtigen. Lesen Sie die Befragung und ergänzen Sie.

> Erzählen Sie doch mal! | Gibt es dafür Zeugen? | Wann und wie sind Sie |
> Was haben Sie gemacht? | Wo waren Sie | Worüber haben Sie gesprochen?

■ _____ am Samstagnachmittag um 16 Uhr?

● Ich war zu Hause.

■ _____

● Ja, ich habe ein Alibi. Ich war zusammen mit meinem Kollegen.

■ _____

● Wir haben Kaffee getrunken und Kuchen gegessen. Danach sind wir ins Kino gegangen.

■ _____

● Über nichts Besonderes. Über das Wetter und die Arbeit.

■ _____ ins Kino gegangen?

● Um 17 Uhr. Wir sind zu Fuß gegangen.

■ Welchen Film haben Sie im Kino gesehen? _____

● Wir haben einen Liebesfilm gesehen. An den Titel kann ich mich nicht mehr erinnern.

■ Können Sie den Film näher beschreiben? ...

b Wählen Sie nun zwei Personen im Kurs: Person A ist der Täter und braucht ein Alibi. Person
B gibt Person A das Alibi. Die beiden sprechen das Alibi zu zweit ab. Die anderen Teilnehmer
sind die Polizisten und machen Notizen: Was wollen Sie fragen?

1. Wo waren Sie? _____
2. Gibt es dafür Zeugen? _____
3. Ab wann waren Sie dort? _____
4. Wie lange waren Sie dort? _____
5. Was haben Sie gemacht? _____
6. Worüber haben Sie gesprochen? _____
7. Haben Sie etwas gegessen/getrunken? Wenn ja, was? _____
8. Wie sind Sie dorthin gekommen? _____
...

c Befragen Sie nun Person A und B getrennt voneinander. Für jede Befragung haben Sie fünf
bis zehn Minuten Zeit. Haben die beiden einen gutes Alibi oder widersprechen sie sich?

Kartenspiel: Meinen Anzug muss ich ändern lassen.

a Schreiben und/oder zeichnen Sie Kärtchen zu den Tätigkeiten.

Haare schneiden
Auto waschen
Fahrrad reparieren
Wohnung putzen
Hemden bügeln
Reifen wechseln
Computerprogramm installieren
Wohnung renovieren
Getränke einkaufen
Anzug ändern
Glühbirne wechseln
Hemden reinigen
...

b Spielen Sie zu viert. Mischen Sie die Kärtchen und ziehen Sie abwechselnd.
Was machen Sie selbst? Was lassen Sie machen? Erzählen Sie.

- ■ Änderst du deinen Anzug selbst oder lässt du ihn ändern?
- ● Meinen Anzug muss ich ändern lassen. Ich kann gar nicht nähen.
- ■ Wechselst du Glühbirnen selbst oder lässt du sie wechseln?
- ● Glühbirnen lasse ich von meinem Freund wechseln. Bei Strom bin ich ängstlich.
- ...

Seitdem wir auf dem Land wohnen, …

Lesen Sie Ihrer Partnerin / Ihrem Partner die Satzanfänge vor. Sie/Er ergänzt.
Sind die Sätze sinnvoll?

1 Seitdem ich das Rauchen aufgehört habe, …
2 Bis ich das Rauchen aufgehört habe, …
3 Seitdem wir auf dem Land wohnen, …
4 Bis wir aufs Land gezogen sind, …
5 Seitdem ich mit dem Fahrrad in die Arbeit fahre, …
6 Bis ich auf das Fahrrad umgestiegen bin, …

■ Seitdem ich das Rauchen aufgehört habe, …
● … habe ich fünf Kilo zugenommen.

Ihre Partnerin / Ihr Partner liest Ihnen Satzanfänge vor. Was passt? Ergänzen Sie.

Die Füße tun mir abends vom langen Stehen weh.
Ich habe kaum mehr Zeit für mich und meine Hobbys.
Ich hatte viele Allergien.
Ich war sechs Monate arbeitslos und habe als Verkäuferin gejobbt.
Ich hatte viel Freizeit und viele Hobbys.
Ich fühle mich viel gesünder.

Variante:
Schreiben Sie eigene Satzanfänge. Ihre Partnerin / Ihr Partner ergänzt.
Sind die Sätze sinnvoll?

Lektion 23 4b

Relativsätze üben: Das ist der Kollege, der …

Partner A

Fragen Sie Ihre Partnerin / Ihren Partner und ergänzen Sie die fehlenden Informationen.

Frau Aigner	Frau Schwab + Herr Beer	Herr Reinig	Herr Thomsen
Die Kollegin aus der Buchhaltung. Sie hat vorgestern gekündigt.	Praktikanten, kommen nächste Woche in den Verkauf		Der Kollege aus dem Einkauf. Er hatte letzte Woche einen Unfall.
Herr Bielenberg	**Herr Konradi**	**Frau Schober**	**Frau Jandl + Herr Huber**
	Der ältere Kollege aus dem Verkauf. Ich treffe ihn oft beim Rauchen vor der Tür.		Die beiden netten Kollegen. Du hast sie auf der Weihnachtsfeier kennengelernt.
Herr Brunner	**Frau Weiß**	**Frau Pichler**	**Herr Novak**
		Die Kollegin mit den schwarzen Haaren. Ich habe sie gestern im Kino gesehen.	Der unfreundliche Kollege. Er hat letzte Woche seine Kündigung bekommen.
…			

- ■ Wer ist eigentlich Frau Aigner?
- ▲ Das ist die Kollegin aus der Buchhaltung, die vorgestern gekündigt hat.

Variante:
Ergänzen Sie auch eigene Beschreibungen zu Personen aus Ihrem Deutschkurs.

Nach Auslandsaufenthalten fragen: Wo war ...?

Fragen Sie Ihre Partnerin / Ihren Partner nach den fehlenden Informationen.

	Joke	Julika
Wo war ...?	in Groningen, Niederlande	Ungarn
Was hat er/sie dort gemacht?	1 Semester studiert	Schüleraustausch
Mit welcher Organisation kam er/sie dorthin?		mit Lingua Sprachreisen
Wie sah sein/ihr Alltag aus?		vormittags zur Schule gegangen, danach im Sportverein trainiert, abends Mitschüler getroffen
Gab es Probleme?		Sprache war sehr schwer
Was fand er/sie gut?		hat ein neues Land kennengelernt
Was war nicht so gut?		musste mit dem Bus in die Stadt fahren / der Bus kam nur einmal in der Stunde und hatte oft Verspätung

- ■ Wo war Joke?
- ● Joke war in Groningen. Das liegt in den Niederlanden.
- ■ Was hat er dort gemacht?
- ● Er hat dort ein Semester studiert.

KB I S. 58 | **Lektion 22** | 3b

Seitdem wir auf dem Land wohnen, ...

Partner B

Ihre Partnerin / Ihr Partner liest Ihnen Satzanfänge vor. Was passt? Ergänzen Sie.

Ich habe morgens mit dem Auto immer eine Stunde im Stau gestanden.
Ich habe schon drei Kilo abgenommen.
Wir sind viel ruhiger und entspannter.
Ich habe fünf Kilo zugenommen.
Ich habe pro Tag circa 20 Zigaretten geraucht und hatte oft Husten.
Wir haben mitten im Stadtzentrum gewohnt.

- ■ Seitdem ich das Rauchen aufgehört habe, ...
- ● ... habe ich fünf Kilo zugenommen.

Lesen Sie Ihrer Partnerin / Ihrem Partner die Satzanfänge vor. Sie/Er ergänzt.
Sind die Sätze sinnvoll?

1 Seitdem ich Kinder habe, ...
2 Bis ich Kinder bekommen habe, ...
3 Seitdem ich kein Fleisch mehr esse, ...
4 Bis ich Vegetarierin geworden bin, ...
5 Seitdem ich eine neue Arbeit als Friseurin habe, ...
6 Bis ich eine neue Arbeit als Friseurin gefunden habe, ...

Variante:
Schreiben Sie eigene Satzanfänge. Ihre Partnerin / Ihr Partner ergänzt.
Sind die Sätze sinnvoll?

Relativsätze üben: Das ist der Kollege, der ...

Fragen Sie Ihre Partnerin / Ihren Partner und ergänzen Sie die fehlenden Informationen.

Frau Aigner	Frau Schwab + Herr Beer	Herr Reinig	Herr Thomsen
Kollegin aus der Buch-haltung, hat gekündigt	Die beiden Praktikanten. Sie kommen nächste Woche zu uns in den Verkauf.	Der Kollege aus dem Lager. Er ist schon seit drei Wochen krank.	
Herr Bielenberg	**Herr Konradi**	**Frau Schober**	**Frau Jandl + Herr Huber**
Der Kollege mit den roten Haaren. Ich treffe ihn oft morgens im Bus.		Die neue Kollegin. Wir haben sie gestern im Theater getroffen.	
Herr Brunner	**Frau Weiß**	**Frau Pichler**	**Herr Novak**
Der Kollege aus der Produktion. Er fährt immer mit dem Fahr-rad zur Arbeit.	Die Kollegin mit dem neuen Auto. Wir haben sie neulich auf dem Parkplatz gesehen.		
...			

■ Wer ist eigentlich Frau Aigner?
▲ Das ist die Kollegin aus der Buchhaltung, die vorgestern gekündigt hat.

Variante:
Ergänzen Sie auch eigene Beschreibungen zu Personen aus Ihrem Deutschkurs.

Lektion 24 | 5b

Nach Auslandsaufenthalten fragen: Wo war …?   Partner B

Fragen Sie Ihre Partnerin / Ihren Partner nach den fehlenden Informationen.

	Joke	Julika
Wo war …?	in Groningen, Niederlande	*in Ungarn*
Was hat er/sie dort gemacht?	ein Semester studiert	*Schüleraustausch*
Mit welcher Organisation kam er/sie dorthin?	mit dem Austauschprogramm Erasmus	
Wie sah sein/ihr Alltag aus?	hat studiert, in einem Apartment im Studentenwohnheim gewohnt, sich oft mit Freunden verabredet	
Gab es Probleme?	Küche und Bad im Wohnheim waren oft nicht sauber	
Was fand er/sie gut?	konnte seine Niederländisch-Kenntnisse schnell verbessern	
Was war nicht so gut?	war sehr laut im Studenten-wohnheim, war deshalb nachts lange wach	

- ● Wo war Julika?
- ■ Julika war in Ungarn.
- ● Was hat sie dort gemacht?
- ■ Sie war bei einem Schüleraustausch.

Die alphabetische Wortliste enthält die neuen Wörter dieses Buches mit Angabe der Seiten, auf denen sie das erste Mal vorkommen. Wörter, die für die Prüfungen der Niveaustufen A1, A2 und B1 nicht verlangt werden, sind kursiv gedruckt. Bei allen Wörtern ist der Wortakzent gekennzeichnet: Ein Punkt (a) heißt kurzer Vokal, ein Unterstrich (a) heißt langer Vokal. Nomen mit der Angabe (Sg.) verwendet man (meist) nur im Singular. Nomen mit der Angabe (Pl.) verwendet man (meist) nur im Plural. Trennbare Verben sind durch einen Punkt nach der Vorsilbe gekennzeichnet (ab·fahren).

die Abfahrt, -en	30	(das) Asien	14
der Abflug, ∸e	66	der Asphalt (Sg.)	30
das Abitur (Sg.)	62	der Assistenzarzt, ∸e /	
ab·laufen	23	die Assistenzärztin, -nen	69
ab·reißen	21	der/das Asterix-Comic, -s	46
ab·schicken	15	das Asterixheft, -e	46
die Abschlussarbeit, -en	54	attraktiv	23
der Absender, -	14	das Audiotraining, -s	9
ab·sperren	50	auditiv	11
die Abwechslung, -en	18	auf·brechen	49
abwechslungsreich	23	der Aufenthalt, -e	26
die Action (Sg.)	53	auf·kleben	15
der Actionfilm, -e	53	auf·schreiben	10
(das) Afrika	18	aufwendig	21
albern	53	die /das Au-pair, -s	71
das Alibi, -s	84	aus·drucken	59
all	66	aus·fallen	66
die Allergie, -n	86	ausgebucht (sein)	26
allerwichtigst-	11	ausgezeichnet	41
als (temporal)	9	aus·graben	21
der Ältere, -n / die		der Auslandsauf-	
Ältere, -n	21	enthalt, -e	67
das Alzheimer	48	das Auslandssemester, -	69
die Amtssprache, -n	68	außerhalb	58
analog	21	das Austauschprogramm, -e	91
andauernd	35	(das) Australien	69
ändern	85	ausverkauft (sein)	43
der Anfängerkurs, -e	23	aus·wählen	53
an·fassen	51	der Auswahlkasten, ∸	79
das Angebot, -e	23	der Ausweis, -e	50
angenehm	37	die Autobahn, -en	30
ängstlich (sein)	53	die Autofahrt, -en	54
an·gucken	21	die Autoscheibe, -n	50
an·hören (sich)	42	der Autounfall, ∸e	49
an·klicken	58	der Babysitter, -	52
die Ankunft, ∸e	30	die Badewanne, -n	20
die Anmeldung, -en	58	das Ballett, -e	42
der Anrufer, - / die		der Band, ∸e	46
Anruferin, -nen	25	bar: in bar	50
an·schauen	10	das Bargeld (Sg.)	50
anschließend	19	(das) Bayerisch	43
der Anschluss, ∸e	67	Bayern	22
der Anzug, ∸e	85	beantragen	66
der Aperol Sprizz	43	bedienen	46
die ARD	18	beeilen (sich)	83
der Ärger (Sg.)	26	der Befehl, -e	46
ärgerlich	29	die Befragung, -en	84
arm	14	begegnen	18
der Artist, -en / die		begeistern	41
Artistin, -nen	42	begeistert (sein)	69

die Begeisterung (Sg.)	65	das Dokument, -e	49
bekleben	15	die Donau	30
benutzen	16	das Doppelzimmer, -	26
der Benutzername, -n	58	drehen	18
bereits	69	die Durchschnitts-	
das Berufskolleg (Sg.)	64	temperatur, -en	39
die Berufsschule, -n	64	der Durchschnitts-	
die Berufswahl (Sg.)	62	wert, -e	39
beschließen	53	duschen	30
die Beschreibung, -en	49	die DVD, -s	19
beschriften	32	die DVD-Box, -en	18
der Besitzer, -/die		der E-Book-Reader, -	20
Besitzerin, -nen	54	der EC-Automat, -en	70
bestätigen	59	die EC-Karte, -en	50
der Betreuungsplatz, ∸e	69	ehrenamtlich	55
die Bettdecke, -n	46	ein·bauen	51
bewegen (sich)	11	ein·brechen	84
die Bewerbung, -en	63	der Einbrecher, -	51
beziehen (sich)	19	der Einbruch, ∸e	49
das Bilderbuch, ∸er	46	eineinhalb	10
die Boutique	38	das Einfamilien-	
(das) Brasilien	32	haus, ∸er	69
die Bratwurst, ∸e	9	ein·geben	59
der Briefkasten, ∸	15	der Einkauf, ∸e	60
die Broschüre, -n	71	die Einkaufsgewohnheit,	
brummig	18	-en	38
die Buchhaltung (Sg.)	90	der Einkaufswagen, -	24
der Buchtipp, -s	48	das Einkommen, -	63
das Bundesland, ∸er	64	ein·loggen	58
die Büroarbeit, -en	66	ein·packen	13
der Busfahrer, -	32	einsam	18
das Carsharing (Sg.)	58	ein·sammeln	32
der Carsharing-Nutzer, -	58	ein·schlagen	50
chatten	20	ein·stellen (sich)	69
die Chefarztstelle, -n	69	die Einweihung, -en	43
die Chili-Schokolade, -n	15	einzeln-	21
die Chipkarte, -n	59	das Einzelzimmer, -	26
der Clown, -s	42	eisig	35
die Comic-Reihe, -n	46	elektrisch	46
das Computerpro-		der Empfänger, -	14
gramm, -e	85	die Empfangshalle, -n	78
darüber	34	die Empfehlung, -en	48
der Dauerfrost (Sg.)	35	das Enkelkind, -er	13
das Demonstrativpro-		entfernt (sein)	11
nomen, -	49	entkommen	46
derselbe	18	die Enttäuschung, -en	65
das Desinteresse (Sg.)	45	Erasmus	91
der Deutschlehrer, - / die		die Erdgeschoss-	
Deutschlehrerin, -nen	9	wohnung, -en	51
der Digital Native, -s	21	die Erdnuss, ∸e	19

WORTLISTE

die Sprachlernge-
schichte, -n   10
die Sprachpraxis (Sg.)   11
die Sprachreise, -n   88
stabil   35
der Stadtrand (Sg.)   58
der Stadtspaziergang, ⸚e   43
der Standardsprachkurs, -e   23
ständig   53
der Stau, -s   89
stehlen   50
die Stellung, -en   17
die Sternschnuppe, -n   11
das Stipendium, -ien   10
die Stofftasche, -n   13
das Stofftier, -e   13
der Strandblick, -e   26
stressig   24
das Studentenwohnheim, -e   91
stürmisch   35
süchtig   21
der Sudan   66
süddeutsch   22
der Süden (Sg.)   31
der Super-Champion, -s   18
tanken   30
die Tankstelle, -n   30
die Taschenlampe, -n   46
der Täter, - / die Täterin,
-nen   50
der Tatort, -e   18
das Tatort-Public
Viewing, -s   18
die Tausch-Börse, -n   52
der Tauschpartner, - / die
Tauschpartnerin, -nen   52
der Teddy, -s   46
teilen   58
teil·nehmen   71
die Telefonkarte, -n   51
die Telefonzelle, -n   21
der Test, -s   11
der Textabschnitt, -e   18
der Themen-Spazier-
gang, ⸚e   43
das Tief, -s   34
das Tiefdruckgebiet, -e   35

das Tier, -e   30
der Topf, ⸚e   75
tragisch   53
der Traumberuf, -e   69
träumen (von)   34
traumhaft   37
das Treppenhaus, ⸚er   78
trocken   34
die Trockenheit (Sg.)   35
(das) Türkisch   12
die TV-Erfolgsgeschichte, -n   18
der TV-Krimi, -s   18
das TV-Programm, -e   18
der Typ, -en   11
u. a. (und andere)   18
überleben   53
überqueren   30
übertrieben (sein)   21
überzeugen   41
übrig: übrig haben   21
ukrainisch   30
der Umgang (Sg.)   21
die Umgebung (Sg.)   23
um·setzen   23
umweltfreundlich   58
unangenehm   31
unruhig   69
unter·bringen   69
unternehmen (etwas)   43
unterschreiben   14
die Unterschrift, -en   14
das Unterteil, -e   15
unvergesslich   37
unzufrieden   81
die Unzufriedenheit (Sg.)   61
der Urlaubsort, -e   29
der Vegetarier, - / die Vegetarierin, -nen   89
der/die Verdächtige, -n   84
der Verdienst, -e   69
verfilmen   46
verlangen   69
verlängern   43
verlieben (sich)   10
die Vernissage, -n   42
verpassen   43
verreisen   10

verschicken   14
verschließen   15
die Versicherung, -en   49
der Versicherungsberater, - /
die Versicherungsberaterin,
-nen   54
die Verspätung, -en   88
der Vertrag, ⸚e   59
vibrieren   21
(das) Vietnamesisch   12
virtuell   24
visuell   11
das Visum, Visa / Visen   66
das Vokabelkärtchen, -   10
die Volkshochschule, -n   73
die Vollpension (Sg.)   77
voneinander   84
die Vorbereitung, -en   66
vor·haben   63
die Vorlese-Initiative, -n   55
der Vorleser, - / die
Vorleserin, -nen   55
vorne: von vorne   69
vorsichtig   30
die Vorstellung, -en   43
vor·tragen   41
wahr (sein)   43
das Wanderjahr, -e   69
die Wärme (Sg.)   33
das Wechselgeld (Sg.)   30
wegen   46
weg·gehen   43
weg·laufen   50
weg·nehmen   75
die Weihnachtsfeier, -n   87
der Weihnachtsgruß, ⸚e   15
das Weinanbaugebiet, -e   37
der Weinberg, -e   37
die Weinlese, -n   71
die Weißwurst, ⸚e   22
weitere   73
weiter·empfehlen   66
der Wertgegenstand, ⸚e   51
der Westwind, -e   35
die Wetterkarte, -n   35
der Wetterrekord, -e   39
die Wetterzone, -n   39

widersprechen   84
wiederholen   11
die Wintersaison, -s   39
der Wintersport (Sg.)   34
der Wintertyp, -en   33
der Wissenschaftler, - /
die Wissenschaft-
lerin, -nen   21
die Wochenendreise, -n   38
wöchentlich   55
das Wohnheim, -e   91
der Wohnungsschlüssel, -   51
die Wohnungstür, -en   51
womit   34
worauf   33
das Work & Travel-
Programm, -e   71
worüber   84
wovon   34
das Würstchen, -   22
die Wüste, -n   31
das ZDF   18
die Zeitungsmeldung, -en   13
der Zeuge, -n / die
Zeugin, -nen   84
das Zeugnis, -se   62
der Zimmerschlüssel, -   25
der Zimmerservice (Sg.)   80
der Zirkus, -se   43
zitieren   46
zögern   41
der Zoll, ⸚e   66
die Zufriedenheit (Sg.)   61
die Zugangsdaten (Pl.)   59
zu·geben   46
zugleich   18
zu·nehmen   89
zurück·bringen   59
der Zuschauer, - / die
Zuschauerin, -nen   18
die Zwillingsgeburt, -en   66

QUELLENVERZEICHNIS

Seite 53: Zelluloid © PantherMedia/Erwin Wodicka; Filmrolle © iStockphoto/onurdongel; Christian © iStockphoto/hidesy; Rike © Thinkstock/iStockphoto; Nina © iStockphoto/billnoll; Jörg © Thinkstock/iStockphoto

Seite 54: alle Fotos © Hueber Verlag/watch and tell - filmproduktion gmbh

Seite 55: © Thinkstock/Monkey Business

Seite 59: © iStockphoto/silentwolf; Handyticket 1-5 © Hueber Verlag/Kiermeir

Seite 60: Flugzeug © fotolia/Ilja Mašík; Bahn © Deutsche Bahn AG/Claus Weber; Haltestelle © iStockphoto/ollo

Seite 62: Schule © digitalstock; Note © PantherMedia/Peter Jobst; Zeugnis, mündliche Prüfung © Hueber Verlag/Kiermeir; schriftliche Prüfung © iStockphoto/Goldfaery; Schulabschluss © Project Photos, Augsburg

Seite 63: Lehre © Thinkstock/iStockphoto; Studium © Thinkstock/Digital Vision; Uni © fotolia/line-of-sight; Semester © Hueber Verlag/Kiermeir; Lebenslauf © fotolia/marog-pixcells; Bewerbung © PantherMedia/Erwin Wodicka; Porträts von oben © Hueber Verlag/Kiermeir, © Thinkstock/Wavebreak Media, © Thinkstock/Getty Images/Jupiterimages

Seite 64: © Ministerium für Schule und Weiterbildung des Landes Nordrhein-Westfalen

Seite 66: Zoll © fotolia/ufotopixl10; Grenze © PantherMedia/Matthias Krüttgen; Konsulat © fotolia/liotru; Visum © Hueber Verlag; Impfung © fotolia/M.Rosenwirth; Fotos unten © mit freundlicher Genehmigung von Médecins Sans Frontières – Ärzte ohne Grenzen e.V.

Seite 67: Pass © fotolia/Peter Mautsch; Piktogramme © fotolia/Dmitry Skvorcov

Seite 68: oben © Thinkstock/iStockphoto; unten © fotolia/Schellig

Seite 69: © Thinkstock/Photodisc/Ableimages

Seite 70: alle Fotos © Hueber Verlag/watch and tell - filmproduktion gmbh

Seite 71: © Thinkstock/Photodisc/David De Lossy

Seite 72: von oben nach unten © iStockphoto/wongkaer; © iStockphoto/matka_Wariatka; © fotolia/Marzanna Syncerz

Seite 75: Paket, Kinderwagen, Parfüm, Topf © Thinkstock/iStockphoto; Schokolade © iStockphoto/PLAINVIEW; Fahrplan © Hueber Verlag/Kiermeir; Handy © iStockphoto/milosluz; Anzug © iStockphoto/timhughes; DVD, Brief © Hueber Verlag/Kiermeir; Rose © Thinkstock/Polka Dot/Dynamic Graphics; Würfel © iStockphoto/arakonyunus

Seite 79: alle Fotos © Hueber Verlag/Charlotte Habersack

Seite 86/89: Yoga © Thinkstock/Stockbyte/George Doyle; Wald © Thinkstock/iStockphoto; Radfahrer © iStockphoto/trait2lumiere; Badminton © Thinkstock/Hemera; Dorf © iStockphoto/Sergge

Seite 88/91: Joke © Thinkstock/Getty Images/Jupiterimages; Julika © Thinkstock/Stockbyte

Alle übrigen Fotos: © Hueber Verlag/Florian Bachmeier

Systemvoraussetzungen Lerner-DVD-ROM (Mindestanforderung):

Windows

x86-kompatibler Prozessor mit mindestens 2,33 GHz oder Intel® Atom™ mit mindestens 1,6 GHz für Netbooks

Microsoft® Windows® XP, Windows Server® 2003, Windows Server® 2008, Windows Vista® Home Premium, Business, Ultimate oder Enterprise (auch 64 Bit) mit Service Pack 2, Windows 7 oder Windows 8 Classic.

512 MB RAM (1 GB empfohlen)

Mac OS

Intel Core Duo™ 1,83 GHz oder schnellerer Prozessor

Mac OS X Version 10.6, 10.7 oder 10.8

512 MB RAM (1 GB empfohlen)

Auf dieser DVD-ROM wird folgendes Programm mitgeliefert: Air Runtime

Zusätzliche Voraussetzung:
300 MB freier Festplattenspeicher